El
NIÑO
que
NADABA CON
PIRAÑAS

A LA
ORILLA
DEL VIENTO

El niño que nadaba con pirañas

DAVID ALMOND

ilustrado por
OLIVER JEFFERS

traducido por
IX·NIC IRUEGAS

FONDO
DE CULTURA
ECONÓMICA

Primera edición en inglés,   2012
Primera edición en español, 2013
   Segunda reimpresión,   2015

Almond, David
   El niño que nadaba con pirañas / David Almond ;
ilus. de Oliver Jeffers ; trad. de Ix-Nic Iruegas Peón.
— México : FCE, 2013
   236 p. : ilus. ; 19 × 15 cm — (Colec. A la Orilla del
Viento)
   Título original: The Boy Who Swam with Piranhas
   ISBN 978-607-16-1268-7

   1. Literatura infantil I. Jeffers, Oliver, il. II. Iruegas
Peón, Ix-Nic, tr. III. Ser. IV. t.

LC PZ7   Dewey 808.068 A675n

Distribución en Latinoamérica

© 2012, David Almond (UK) Ltd., texto
© 2012, Oliver Jeffers, ilustraciones
Publicado por acuerdo con Walker Books Limited,
Londres SE11 5HJ
Título original: *The Boy Who Swam with Piranhas*

D. R. © 2013, Fondo de Cultura Económica
Carretera Picacho Ajusco, 227; 14738 México, D. F.
www.fondodeculturaeconomica.com
Empresa certificada ISO 9001:2008

Editoras: Eliana Pasarán y Clara Stern Rodríguez
Diseño: Miguel Venegas Geffroy
Traducción: Ix-Nic Iruegas Peón

Comentarios: librosparaninos@fondodeculturaeconomica.com
Tel.: (55)5449-1871. Fax: (55)5449-1873

ISBN 978-607-16-1268-7

Impreso en México • *Printed in Mexico*

Para Hella

Una pregunta: ¿qué pensarías si alguien, tu tío Ernie, por ejemplo, decidiera convertir tu casa en una fábrica enlatadora de pescado? ¿Te gustaría que hubiera cubetas llenas de arenques y tinajas con macarelas por doquier? ¿Y qué tal si hubiera un cardumen de sardinas nadando en la bañera? ¿Qué pasaría si tu tío Ernie siguiera construyendo más y más máquinas: para cortar cabezas, para cortar colas, para sacar tripas, para limpiar y hervir y aplastar los pescados dentro de las latas? ¿Te imaginas el escándalo? ¿Visualizas el desastre? ¡Imagínate la peste!

¿Y qué pasaría si las máquinas de tu tío Ernie llegaran a ser tan grandes que ocuparan todas las habitaciones, tu recámara, por ejemplo, y tú tuvieras que dormir en el armario? ¿Qué tal si te dijeran que ya no puedes ir a la escuela porque tienes que quedarte en casa para enlatar el pescado? ¿Suena bien? ¡Ah! Pero ¿y si en lugar de ir a la escuela tuvieras que empezar a trabajar todos los días a las seis de la mañana en punto? ¿Y si no tuvieras vacaciones?

¿Y si nunca vieras a tus viejos amigos? ¿Te gustaría? ¡Claro que no! Pues a Stan Potts tampoco le gustaba.

Stan Potts era un niño normal con una vida normal en una casa normal de una calle normal, y de pronto ¡pácatelas!, su vida enloqueció. Todo ocurrió de la noche a la mañana. Un día estaban tan contentos —Stan, tío Ernie y tía Annie— viviendo en una linda casita con terraza en la calle Embarcadero, y al siguiente, ¡toma esto!: arenques, macarelas, sardinas y una absoluta esquizofrenia. Stan quería mucho a tío Ernie y a tía Annie; él era hermano de su padre y ambos habían sido maravillosos con él desde que su papá murió en aquel horrible accidente y su mamá murió poco después, con el corazón roto. Sus tíos eran como unos nuevos padres, pero una vez que comenzó la locura, Stan pensó que no tendría fin, y que pronto todo aquello sería imposible de soportar.

LA FÁBRICA

Uno

Todo comenzó con el cierre del Astillero Simpson, que había estado ahí, al lado del río, desde el año cero. Los hombres que vivían cerca del río habían trabajado en Simpson desde siempre. El padre de Stan laboró ahí hasta el accidente. El tío Ernie había trabajado ahí desde que era un muchacho, como su hermano, y como su padre, y el padre de su padre, y el padre del padre de su padre. Y de pronto, ¡púmbale!: todo terminó. Hicieron barcos más baratos y mejores en Corea y Taiwán y China y Japón. Así que las puertas del Astillero Simpson se cerraron de golpe, a cada hombre le dieron algo de dinero, le dijeron que se marchara y metieron los equipos de demolición. Ya no había trabajo para tipos como tío Ernie; pero los hombres como él son orgullosos y trabajadores, y tienen familias de las cuales ocuparse.

Algunos de ellos consiguieron otros trabajos, en la Fábrica de Envases de Plástico Perkins, por ejemplo, o respondiendo teléfonos en la Sociedad Aseguradora y Financiera del Beneficio Común, o acomodando anaqueles en Stuffco, o dando visitas guiadas en el Museo del Patrimonio Industrial (exposiciones especiales: Soberbias Naves Marinas Construidas en el Astillero Simpson desde el año cero). Otros se desanimaron y sólo caminaban por las calles arrastrando los pies, o se quedaban parados en las esquinas, o se enfermaron y comenzaron a desvanecerse. Unos más comenzaron a beber, otros a robar y algunos más terminaron en la cárcel, pero algunos hombres, como el tío de Stan, el señor Ernest Potts, tenían grandes planes.

Un par de meses después de que lo despidieran de Simpson, Ernie estaba de pie junto a Stan y Annie en la ribera del río. Estaban retirando las grúas y derribando las bodegas, destruían vallas y muros, arrancaban muelles y embarcaderos. El aire se llenaba con el ruido de jalones y tirones y golpes y porrazos. La tierra temblaba y vibraba bajo sus pies. El río era todo olas salvajes y turbulencia, el viento azotaba desde el lejano mar y las gaviotas chillaban como si nunca hubieran visto nada igual.

Ernie había estado gritando y gimiendo y quejándose durante semanas. Ahora sólo suspiraba y gruñía y maldecía y escupía.

—¡El mundo se ha vuelto loco! ¡Absolutamente loco! —gritó al viento.

Pataleó en el piso y levantó los puños al cielo.

—¡Pero no me vencerán! —agregó—. ¡No, no vencerán a Ernest Potts!

Y miró más allá del astillero, hacia donde el río se abría sobre el mar brillante y plateado. Se acercaba un barco pesquero, rojo y hermoso, y una parvada de gaviotas volaba en torno a él. Se veía encantador brillando bajo el sol y rebotando sobre la marea. Era una auténtica maravilla, algo salido de un sueño, un regalo, una promesa maravillosa. El barco se detuvo en el embarcadero y descargaron una enorme red llena de hermosos peces plateados. Ernie se fijó en las láminas de metal y se fijó en los peces. De pronto, vio todo claro.

—¡Ésa es la respuesta! —gritó.

—¿Cuál es la respuesta? —preguntó Annie.

—¿Cuál es la pregunta? —preguntó también Stan demasiado tarde.

Ernie estaba en marcha. Corrió hasta el embarcadero y compró un kilo de arenques, luego corrió a casa y los puso a hervir. Sacó su carretilla y corrió de vuelta hasta donde estaban Annie y Stan, que seguían en la ribera del río. Ernie puso un par de láminas de metal en la carretilla.

Annie y Stan trotaron junto a él mientras Ernie se tambaleaba de regreso a casa.

—¿Qué haces, Ernie? —preguntó Annie.

—¿Qué haces, tío Ernie? —preguntó Stan.

Ernie sólo les guiñó un ojo. Tiró el metal en el jardín, abrió su caja de herramientas, sacó su equipo de cortar y soldar, sus pinzas y sus martillos, y se puso a cortar las láminas y a soldarlas y a martillarlas hasta obtener formas cilíndricas y curvas.

—¿Qué haces, Ernie? —volvió a preguntar Annie.

—¿Qué haces, tío Ernie? —volvió a preguntar Stan.

Ernie se alzó la visera del casco de soldador. Sonrió. Guiñó.

—¡Cambiando el mundo! —gritó y se volvió a bajar la visera.

Media hora más tarde terminó de construir la primera lata. Era una cosa pesada y chipotuda y oxidada y deforme, pero era una lata. Media hora después, apretó los arenques hervidos dentro de la lata y soldó la tapa. Luego rotuló en la lata: ARENQUES POTTS.

Ernie dio un golpe al aire y ejecutó un pequeño bailecito.

—¡Funciona! —declaró.

Annie y Stan inspeccionaron la lata y miraron los enmascarados ojos de Ernie, que los miraron de vuelta.

—Queda mucho por hacer —dijo Ernie—. ¡Pero funciona absoluta, positiva y definitivamente!

Se aclaró la garganta y dijo:

—¡El futuro de esta familia está en el negocio del enlatado de pescados!

Y así comenzó la gran empresa de Ernie: las Suculentas Sardinas Potts, las Magníficas Macarelas Potts y los Apetitosos Arenques en Aceite Potts.

Dos

Ernie soldó, martilló, clavó, taladró y atornilló, levantó el piso y tiró paredes, construyó una red de tubos y conductos y compuertas y desagües. Conectó cables, interruptores y fusibles. Sus máquinas crecieron y crecieron y crecieron y crecieron hasta que estuvieron en todos los corredores y en todas las habitaciones. Tubos y cables corrían por debajo de todos los pisos y en el interior de todas las paredes. La casa latía con el ritmo de motores, con el *chic-chac* de guillotinas y cuchillos, con el zumbido de las sierras eléctricas, con los borbotones de agua chorreante, con el burbujeo de los grandes cazos y con los emocionados gritos de Ernie:

—¡Trabajen más rápido! ¡Trabajen más duro! ¡Oh, mis máquinas maravillosas! ¡Oh, cómo las amo! ¡Pescado pescado pescado PESCADO! ¡Máquina máquina máquina MÁQUINA!

Todas las mañanas llegaban hasta la puerta principal camiones cargados de pescado. Por las tardes otros camiones se llevaban por la puerta trasera cajas llenas de pescado enlatado. El negocio floreció, el dinero comenzó a entrar a raudales y Ernie ya no era un malviviente extrabajador del astillero: era un hombre de negocios, un empresario. Su imperio creció como si fuera una cosa viva.

Stan dormía en la despensa todas las noches, Ernie y Annie dormían debajo de una máquina destripadora y a la mañana siguiente, a las seis en punto, sonaba el despertador:

¡RING RING RING RING RING RING RING RING!

Y de inmediato sonaba una sirena:

¡WIIIWAAAWIIIWAAAWIIIWAAAWIIIWAAA!

Y segundos después sonaba un disco:

¡ARRIBA, DESPIERTEN! ¡ARRIBA, DESPIERTEN! ¡ARRIBA, DESPIERTEN!

Y al instante el tío Ernie gritaba:

—¡ARRIBA! ¡VAMOS, TODOS! ¡SON LAS SEIS EN PUNTO Y ES HORA DE EMPEZAR! ¡A TRABAJAR!

Cuando Annie gemía o Stan se quejaba, la respuesta de Ernie era siempre la misma:

—¡ESTO ES POR NOSOTROS! ¡ES POR ESTA FAMILIA! ¡AHORA, VAMOS! ¡SON LAS SEIS EN PUNTO Y ES HORA DE EMPEZAR!

Pero una mañana Annie dijo:

—Espera, Ernie.

—¿Cómo que "espera, Ernie"?

—¿Podrías bajar un poco la velocidad, sólo por hoy?

Ernie ya estaba en acción. Traía puestos los guantes de destripar; tenía listas las tijeras de pescadero y sacudía las llaves que encendían las máquinas. Los peces nadaban y bailoteaban y se deslizaban en su cerebro.

—¡Ernie! —gritó Annie—. ¡Baja la velocidad sólo por hoy!

—¿Y qué tiene hoy de especial?

—No te acuerdas, ¿verdad?

—¿Acordarme de qué?

Ella sacó un sobre de debajo de su almohada y lo sacudió frente a la cara de Ernie.

—¿No te acuerdas? Es el cumpleaños de Stan.

—¿Ah, sí? —respondió Ernie—. ¡Ah, sí! Claro, hoy es el cumpleaños de Stan —añadió, y se encogió de hombros—. ¿Y eso qué?

—Pues que hay que ser amables con él. Hagamos cosas de cumpleaños.

—¿Cosas de cumpleaños? —dijo frunciendo el ceño—. ¿Qué quieres decir con "cosas de cumpleaños"?

—Me refiero a regalos y fiestas y sonrisas, y a cantar *Feliz cumpleaños* y... ¡a no molestarlo con la monserga de los arenques, por ejemplo!

—¿La monserga de los arenques? Para que lo sepa, señora, ¡los arenques son nuestra fuente de ingresos! Y para que lo sepas...

—¡Pues para que tú lo sepas, si no eres amable con tu sobrino el día de hoy, tu mujer se declarará en huelga!

Ernie se estremeció.

—Ahora guarda silencio —dijo Annie. Se puso de pie y caminó hacia la despensa de Stan—. Buenos días, hijo —susurró.

Stan tomó su ropa de trabajo.

—¡Perdón! ¿Se me hizo tarde? ¿Debí levantarme antes? ¿Ya es hora de empezar?

Pero Annie lo abrazó.

—¡Feliz cumpleaños, Stan!

El muchacho estaba azorado.

—¿Qué? —preguntó—. ¿Es mi cumpleaños?

—¡Claro! —respondió Annie—. ¿No lo sabías?

Stan caviló un momento.

—Recuerdo haber pensado que podría ser mi cumpleaños… pero nadie dijo nada, así que pensé que me había equivocado o que se les podría haber olvidado.

—Ay, Stan —respondió Annie—. ¿Pensaste que olvidaríamos algo así? Lo tuvimos presente todo el tiempo, ¿verdad, Ernie?

Ernie tosió y cortó el aire con sus tijeras.

—Claro que sí —dijo. Trató de sonreír desde la puerta de la despensa—. ¡Feliz cumpleaños, muchacho! ¡Feliz feliz feliz cumpleaños! ¡Jajajajajajaja! Anda, dale la tarjeta.

Annie le entregó un sobre a Stan. Stan sacó una tarjeta con un mensaje dentro, que tenía al frente el dibujo de un barco de vela.

—¡Oh, gracias! —gritó Stan—. ¡Gracias! ¡Es la mejor tarjeta del mundo!

—¡Muy bien! —dijo Ernie—. Ya fue suficiente, ¡hay mucho pescado por enlatar!

Y regresó a sus cubetas llenas de pescado y a sus máquinas.

—¡Qué tontuelo! —dijo Annie—. ¿Qué te parece si lo dejamos seguir con su pescado mientras tú y yo probamos un rico desayuno?

Feliz cumpleaños a nuestro querido STAN, el mejor sobrino en el mundo entero.

Todo nuestro amor, tío Ernie y tía Annie

¡BESOS!

Abrió una bolsa y sacó algunas latas de refresco, barras de chocolate y una gran bolsa de dulces. Rieron y comenzaron a comer. De vez en cuando Ernie gritaba:

—¿DÓNDE ESTÁN? ¡YA ES TARDE! ¡DEJEN DE HARAGANEAR Y PÓNGANSE A TRABAJAR!

Pero Annie sólo decía:

—No hagas caso.

Y cuando terminaron todos los refrescos, el chocolate y los dulces, dijo:

—Listo, Stan. Ahora te vas a dar un gusto, ¡espera aquí!

Tres

Ernie apretaba botones, encendía interruptores, tiraba palancas y giraba perillas. Se retorcía y bailaba y giraba. Entonaba a todo pulmón sus refranes y sus canciones sobre peces:

> *¡Pez pez pez pez!*
> *¡PEZ PEZ PEZ PEZ!*
> *¡Peces en tambos y peces en cubetas!*
> *¡Corta la cabeza, la cola y las aletas!*
> *¡Hierve y cocina con salsa de tomate!*
> *¡Mete en una lata y al escaparate!*
> *¡Pez pez pez pez!*
> *¡PEZ PEZ PEZ PEZ!*
> *¡Asombrosos arenques, sabrosas sardinas!*
> *¡Magníficas macarelas, apetitosas anguilas!*
> *¡Abadejo, atún, bacalao y calamar!*
> *¡Por la garganta te van a saciar!*
> *¡Pez pez pez pez!*
> *¡PEZ PEZ PEZ PEZ!*
> *¡Peces en tambos y peces en cubetas! ...*

Annie suspiró. ¿Qué fue de aquel hombre relajado que había conocido? Lo tocó en el hombro y él no respondió, lo empujó por la espalda y tampoco. Le dio un golpazo y le gritó en el oído:

—¡Ernie! ¡ERNEST POTTS!

Al fin se volvió a mirarla.

—¡Ajá! ¡Ya era hora! —dijo—. ¡STAN! ¿Dónde estás, muchacho?

Annie se aproximó y apagó la máquina más cercana. Ernie soltó un grito ahogado. ¿Qué diablos hacía esa mujer? Se inclinó para prenderla de nuevo cuando Annie dijo:

—No te preocupes por Stan. Es su día libre.

—¿Día libre? ¿Según *quién*?

—Según *yo* —respondió Annie—. Hay una regla nueva. Mira, la anoté —dijo entregándole una hoja de papel.

REGLA No 1.
los miembros de la FAMilia tienen el día
libre en su CUMPLEAÑOS

Ernie la leyó y se rascó la cabeza.

—En el astillero había reglas, ¿no? —preguntó Annie.

—Sí —respondió Ernie—, pero...

—Nada de peros —dijo Annie—. Y también le vamos a dar un bono de diez libras —agregó mientras le daba otra hoja de papel.

> REGLA No. 1a.
>
> los miembros de la FAMilia recibirán un bono
> de diez libras en su CUMPLEAÑOS

—¡Estás inventando esas reglas! —exclamó Ernie.

Annie se encogió de hombros.

—Por supuesto. ¿Alguna objeción? —Miró a Ernie a los ojos
y él le devolvió la mirada.

—¡Sí! —gritó.

Annie le entregó una hoja más.

> REGLA No. 1b.
>
> ¡NO te atrevas a objectar o nos
> pondremos en HUELGA !

—¿Y bien? —preguntó Annie.

Ernie gruñó, metió la mano en el bolsillo del pantalón y
sacó un billete de diez libras.

—Dáselo a Stan y dile que se divierta —ordenó Annie. Levantó un dedo como diciendo "no te atrevas a objetar"—. ¡Stan!
Ven aquí, hijo. El tío Ernie tiene algo para ti.

Stan salió de la despensa.

—Tienes el día libre —dijo Annie—. ¿Verdad, amor?

—Ajá —gruñó Ernie.

—Y el tío Ernie tiene algo para ti, ¿verdad, Ernie?

—Ajá —gruñó de nuevo y le entregó el billete de diez libras.

—Feliz cumpleaños, hijo —agregó—. Que te…

Se rascó la cabeza. ¿Qué era lo que tenía que decir?

—¡Que te diviertas! —completó Annie.

—¡Eso! —dijo Ernie—. ¡Que te diviertas!

—¿Y en dónde me voy a divertir? —preguntó Stan.

Annie abrió la puerta principal.

—Allá afuera —le dijo—. Has estado encerrado mucho tiempo. ¡Diviértete allá afuera, en el mundo, hijo!

Annie y Stan miraron las calles y suspiraron con asombro y sorpresa: al pueblo había llegado una feria. Ahí estaban, en medio del lugar donde solía estar el Astillero Simpson: la rueda de la fortuna girando lentamente bajo el sol y el pico puntiagudo del tobogán, el crujir de los carritos chocones, el ulular de la música, el estrépito de la montaña rusa. Ahí estaba el olor a aceite de motor y a algodón de azúcar y a *hot dogs*.

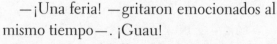

—¡Una feria! —gritaron emocionados al mismo tiempo—. ¡Guau!

Stan apretó el billete de diez libras, besó a su tía, le sonrió a su tío y salió de la casa hacia su soleado día de libertad.

Annie cogió una bolsa para hacer las compras.

—Regla 1c —dijo mientras salía de la casa—: ¡A las tías se les da tiempo para ir a comprar pasteles de cumpleaños!

Ernie los vio partir.

—El mundo se ha vuelto loco —se dijo. Azotó la puerta y volvió al trabajo.

Cuatro

Stan caminó por las calles de casas adosadas, pasó por Armas Shipwright, por el hostal del Ejército de Salvación y la tienda Oxfam, y pasó cerca de los cargadores. Corrió hacia la feria a través del terreno baldío. La feria era enorme y ruidosa y brillante. Los carruseles giraban ya, pero aún era temprano, de modo que no había casi nadie, sólo un puñado de niños que habían escapado de la escuela, un par de mujeres que empujaban carriolas antiguas, más cargadores y la gente que trabajaba en la feria; gente con dientes de oro y largas melenas, con brillosos aretes de plata en las mejillas y bolsas llenas de monedas alrededor de la cintura. Se recargaban sobre los juegos y los puestos, tomaban tazas de té y fumaban cigarros de extraño aroma. Miraron a Stan avanzar con timidez. Murmuraban cosas en acentos raros, tosían y maldecían y escupían y gritaban entre risas.

Stan subió solo al carrusel y dio vueltas en los tazones. Solo se elevó en la rueda de la fortuna y desde ahí vio el mundo: el río, las calles de casas adosadas, los lugares donde amtes estuvieron el astillero y las fábricas. Vio su antigua escuela,

San Mungo, y a todos los niños jugando en el patio; vio su propia casa en la calle Embarcadero, el vapor de las máquinas de su tío que salía por el techo. Stan daba vueltas, arriba y abajo, vuelta y vuelta y arriba y abajo. Vio la ciudad y las montañas distantes, el hermoso y brillante mar que no se acababa nunca, y el encantador cielo azul profundo que no terminaba jamás. Recordó a sus maravillosos padres y allá arriba, en el cielo, lloró por ellos. Pensó en sus tíos y agradeció tenerlos. Imaginó un mundo más allá del mar y el universo más allá del cielo, y su cabeza dio vueltas ante la grandeza y el asombro que le provocaba todo aquello.

De nuevo en tierra, se comió un jugoso *hot dog* y un pegajoso algodón de azúcar. Se lamió los labios y los dedos, y pasó junto a un viejo remolque de gitanos pintado de rojo y verde. Sobre la pequeña puerta se leía: **ROSA GITANA**. Había un poni blanco con un morral colgando de la cabeza. Una mujer

con un chal colorido se acercó a la puerta y llamó a Stan con el dedo.

—Soy la tataratataranieta de la verdadera Rosa Gitana —le dijo—. Entra. Pon algo de plata en mi mano y a cambio te llenaré la cabeza con maravillas y secretos.

Stan se lamió de los dedos el resto del algodón de azúcar.

—Te diré cuándo se terminarán tus problemas —dijo la Rosa Gitana.

—¿Usted cómo sabe que tengo problemas? —preguntó Stan.

—Eso es claro para cualquiera que tenga ojos. ¿Cómo te llamas, jovencito?

—Stan —respondió él.

—Dame una sola moneda de plata, Stan —dijo la gitana, y bajó la voz—: Sé valiente y entra.

Stan estaba a punto de entrar en el remolque cuando un brillo atrapó su mirada: trece peces dorados colgaban de un sedal en el puesto de Pesca-un-pato. Cada uno nadaba dentro de una bolsa de plástico que colgaba de un hilo anaranjado bajo el sol. Sin pensarlo, Stan se alejó de la Rosa Gitana y caminó hacia los peces.

La gitana habló de nuevo:

—Hasta la vista —le dijo—. Estás hechizado. Te sentirás triste. Viajarás. Y volveremos a vernos.

La gitana volvió al remolque. Stan se acercó al Pesca-un-pato. Las bolsas eran diminutas y tenían poca agua. Los peces eran hermosos, milagrosos, con la piel multicolor y agallas y aletas y bocas que se abrían y cerraban, y tenían delicadas escamas y tiernos ojos negros. Se estiró para alcanzar uno.

—¡Oye! ¡Qué haces, niño!

Stan se estremeció. Apareció un hombre dentro del puesto, atrás de los peces.

—¡Pregunté qué estás haciendo!

Stan sacudió la cabeza.

—Sólo estoy viendo los peces —susurró.

Se trataba de un hombre bajito con una cara suave y tersa, y una cabellera brillante que le dibujaba un piquito sobre la frente. Tenía un arete dorado y llevaba un saco de satín viejo, rojo y polvoriento, manchado de grasa. Detrás de él había una palangana verde en la que flotaban, dibujando círculos en el agua, varios patos de plástico con ganchos de metal en la cabeza. Más

allá de los patos había un viejo remolque. Por el mu-
griento cristal de la ventana se asomaba una niña de
mirada sombría que con el dedo hizo un agujerito
en la mugre para poder ver a Stan.

—¡No los puedes ver! —gritó bruscamente el
hombre—. Los tienes que ganar, muchacho.

Señaló un letrero:

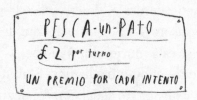

PESCA-un-PATO
£2 por turno
UN PREMIO POR CADA INTENTO

Stan miró el dinero que le quedaba: eran menos de dos libras, no era suficiente ni para un turno.

—¡Pero es una crueldad! —protestó Stan—. Casi no tienen
agua y...

El hombre se encogió de hombros.

—Si los quieres ayudar, los tienes que ganar —dijo y miró
hacia la feria por encima de Stan.

Éste notó que el más pequeñito de los peces casi no se mo-
vía y que se estaba hundiendo.

—¡Pero se están muriendo! —dijo.

El hombre se volvió a ver los peces y se encogió de hombros.

—Si se mueren, compro más —dijo—. Es muy sencillo.

—¡Pero yo los puedo salvar! —dijo Stan.

—¿Cuánto dinero tienes? —preguntó el hombre.

—Una libra y sesenta y seis peniques —respondió Stan.

El hombre señaló el letrero: "£2 *por turno*".

—¿Pero de qué sirve, si están muertos? —dijo Stan y estiró la mano con el dinero—. ¡Por favor, señor! ¡Por favor!

El hombre resolló y miró el dinero sobre la mano de Stan.

—Está bien —suspiró—. Soy un blandengue. Pero te tienes que llevar el que se está muriendo. ¡Y no hagas trampa!

Tomó el dinero y le dio a Stan un palo del que colgaba un sedal con un anzuelo en la punta. Stan se acercó a la palangana de los patos, pero estaba temblando y no podía dejar de ver al pez agonizante en la pequeña bolsa de agua. El hombre chasqueó la lengua.

—¡Ay, los niños de estos tiempos! —murmuró—. ¿Qué? ¿Nadie te enseñó a pescar correctamente?

El hombre enganchó el anzuelo en un pato y Stan lo sacó del agua. Tomó la bolsa con el pez agonizante, pero simplemente no podía dejar ahí a los otros.

—¡Se van a morir! —dijo afligido—. Si nadie los gana, se van a…

El hombre estiró la mano con la palma abierta.

—¡Pero ya no tengo nada!

El hombre contempló a Stan.

—Podrías trabajar para ganártelos, si quieres —dijo.

—¿Trabajar? —preguntó Stan.

—Sí —respondió el hombre, y asintió con la cabeza—. Es una buena idea. Si sabes lo que es trabajar, claro.

—¡Claro que lo sé! —dijo Stan.

—¿Ah, sí? Pues eso sería una novedad —dijo el hombre rascándose la barbilla—. Podrías, por ejemplo, lavar los patos —dijo, y escupió al piso—. Mira nada más cómo están de asquerosos.

—Está bien —respondió Stan rápidamente y se remangó la camisa—. ¿Qué hago?

El hombre señaló una cubeta de plástico en el suelo.

—Usa ese cepillo y el jabón, y talla. Es muy fácil.

Stan se puso a trabajar. Talló los patos frenéticamente sin dejar de mirar a los peces que nadaban cada vez más despacio en sus bolsas.

—Lo estás haciendo muy bien —dijo el hombre—. Se supone que mi hija debería hacerlo, pero le parece un oficio muy bajo. Ésa es, mira, la muy holgazana.

Stan miró de reojo a la pálida niña que se asomaba por el agujerito en la mugre.

—Se llama Nitasha —dijo el hombre. La miró, negó con la cabeza y señaló a Stan, que trabajaba más y más rápido hasta que dejó los patos brillando de limpios. Nitasha levantó la nariz y desvió la mirada.

El hombre levantó los patos para inspeccionarlos.

—¿Ya me puedo llevar los peces? —suplicó Stan.

El hombre mostró un pequeño pato amarillo.

—Tiene un poco de mugre aquí —dijo.

Stan lo tomó, lo talló y lo pulió de nuevo.

—¿Ya? —preguntó Stan.

El hombre caviló. Con calma levantó un pato anaranjado.

Stan no podía soportarlo más. A estas alturas, todos los peces luchaban por mantenerse a flote, iban a la deriva, no nadaban, se hundían poco a poco al fondo de sus bolsas de plástico.

—¡Ya me los voy a llevar! —exclamó—. ¡Son míos!

Se estiró, bajó las doce bolsas y las colgó de sus dedos estirados.

—¿De acuerdo? —preguntó.

—¿Cómo te llamas? —preguntó el hombre.

Pero Stan ya corría rumbo al río. Corrió fuera de la feria y a través de los escombros y por cobertizos y bodegas abandonados, y se escurrió por una antigua reja de hierro y se lanzó a la ribera del río de un salto y bajó las bolsas una por una y dejó que el agua del río las llenara. Después las alzó hacia el cielo. Ahora el agua era más turbia: en ella se arremolinaban pequeños pedazos y fragmentos y algunas gotas de grasa flotaban hacia la superficie, pero en cada una de ellas, en medio de aquella lobreguez, había un destello de oro vivo.

Stan suspiró de alivio y deleite.

Entonces se dio cuenta de que el hombre del puesto de los patos estaba parado detrás de él.

—Eres un sentimental, ¿verdad? —dijo el hombre—. Pero veo que también eres un buen trabajador. ¿Cómo te llamas?

—Stan —respondió.

—Yo soy Dostoievski —dijo el hombre.

Estiró la mano. Stan no la estrechó. Dostoievski se encogió de hombros.

—No soy tan malo como parezco —dijo—. ¿Qué te parecería tener trabajo en el puesto de Pesca-un-pato?

—No, gracias, señor Dostoievski —respondió Stan.

—Te pagaría bien —agregó Dostoievski—. Es un trabajo fijo. No importa qué problemas haya en el mundo, siempre habrá necesidad de un puesto de Pesca-un-pato.

Pero Stan respondió de nuevo que no y se dirigió a su casa con trece peces dorados colgando de sus dedos.

Cinco

En el número 69 de la calle Embarcadero había habido problemas.

Mientras Stan estaba en el puesto de Pesca-un-pato, una camioneta blanca y oxidada se estacionaba frente a la casa. Tenía un letrero enorme:

SOSA

SOCIEDAD de OBSERBACIÓN de SOSPECHAS APESTOSAS
www.SOSA.gob

¿Ocurre algo apestoso y sospechoso?
¿Quiere meter a alguien en problemas?
DELATE al SOSPECHOSO en una línea segura
0191 876 5432

TODAS las LLAMADAS son CONFIDENCIALES

La camioneta tenía una pequeña ventana lateral. Tras la ventana había un telescopio que apuntaba directamente a la casa de Ernie. Detrás del telescopio había un hombrecillo.

—Justo lo que pensábamos —murmuró el hombre—. ¡Qué desgracia! ¡Qué barbaridad!

El hombre tomó nota en una libreta. Se ajustó la pequeña chaqueta negra. Se ajustó la corbata negra. Colocó una carpeta de piel negra bajo el brazo. Salió de la camioneta y tocó a la puerta de la casa de Ernie.

Ernie, debido a todo el martilleo y el estruendo y las canciones, no oyó nada. El hombre tocó la puerta de nuevo. De nuevo no hubo respuesta. Se agachó y se asomó por el buzón.

—¡Ajá! —farfulló—. Exactamente lo que pensábamos.

Gritó a través del buzón.

—¡Abran! ¡Soy de la Sociedad de Observacion de Sospechas Apestosas!

Ninguna respuesta. Gritó de nuevo. Sin respuesta. Chasqueó la lengua y azotó los pies.

—¡Qué *vergoncés*! ¡Verdaderamente atroz!

Se pescó del picaporte.

—¡Voy a entrar! —advirtió.

La puerta se abrió con facilidad. El hombre entró y fue confrontado por tubos y cables, por ruedas chirriantes y engranes giratorios, por cubetas de pescado y cajas con latas. Avanzó e investigó a su paso. Tomaba notas en su libreta.

—¡Qué asquerosidad! —dijo—. ¡Qué absoluta barbaridad!

Oyó cantar a Ernie. Lo vio desparramado sobre una de las máquinas, pateando una palanca con el pie izquierdo, rotando un engrane con el derecho, bajando un interruptor con la mano derecha y apretando un botón con la izquierda.

—¡Máquina! —gritó Ernie—. ¡Máquina máquina máquina máquina!

—Ejem —carraspeó el investigador—. ¡Ejem!

Ernie se dio la vuelta.

—¿Quién diablos es usted? —preguntó.

El investigador entrechocó los talones.

—Soy un envestigador de sosa —dijo.

—¿Un *qué?* —preguntó Ernie.

—Un *envestigador* —respondió el investigador—. Un *envestigador* que *envestiga* cosas. Cosas extrañas. Cosas peculiares. Cosas que ni siquiera deberían ser cosas —dijo el investigador acercándose—. ¡Cosas sospechosas! —agregó y entrecerró los ojos—. Y aquí está ocurriendo algo sospechoso, señor...

Levantó el lápiz, listo para tomar nota del nombre de Ernie.

—Señor A Usted Qué Le Importa —respondió Ernie y dejó las palancas y los interruptores—. Señor Lárguese De Mi Casa —agregó—. ¡Señor Quién Se Cree Usted Que Es Metiéndose En Mi Casa Sin Permiso! ¡Señor Si No Se Larga Lo Voy a Sacar a Patadas! Señor…

El investigador levantó una mano.

—Ésa no es una estrategia muy inteligente —dijo—. Está *usté* hablando con el señor don Clarence P. Clapp, *envestigador* en primer grado, siete galones, dos estrellas y con un certificado firmado ni más ni menos que por el Gran *Sospechosista*, el Líder del Departamento en persona. Si usted me toca, se va a meter en graves problemas, señor…

Ernie apretó los labios.

—¡Ja! —dijo Clarence P. Clapp—. El viejo truco de los labios apretados. La estrategia del silencio. Me han enseñado todo lo que hay que saber acerca de esa estrategia y déjeme decirle que ¡no logrará absolutamente nada! —Miró alrededor de la casa—. Esto —dijo— no está permitido. Ni esto ni esto ni esto otro. Y *esto* es una absoluta vergüenza y *aquello* es completamente espantoso y esta cosa de aquí es lo peor que he visto. —Tomó un par de notas más, frunció los labios y entrecerró los ojos—. ¿Qué es exactamente lo que ocurre aquí, señor Mudo?

—¡Nada! —dijo Ernie.

Clarence anotó la respuesta.

—Y —continuó—, ¿desde hace cuánto tiempo está ocurriendo esto?

—¡Nunca! —dijo Ernie.

—¡Ja! —declaró Clarence—. ¡Sé que esas respuestas no son más que un puñado de mentiras! ¡Mi entrenamiento me ha preparado para todo! ¡Me doy cuenta perfectamente del lamentable estado de las cosas que existe aquí y no puede continuar así; hay que ponerle un alto!

—¿Ah, sí? —dijo Ernie.

—¡Ah, sí! —respondió Clarence P. Clapp—. Tengo la ley de mi lado. Tengo el poder que me otorga el Gran Jefe *Envestigador* de Sospechas Apestosas. ¡Escribiré un reporte y le enviarán a usted un aviso y esto llegará a punto final! Le dejo mi tarjeta.

—Estrujó una tarjeta de presentación en la mano de Ernie, se dio la vuelta y se dirigió a la puerta, pero se detuvo un instante.

—Si yo fuera usted, señor Mudo —dijo en voz baja—, me pondría a trabajar en este instante para regresar esta casa a la normalidad, ¡o la Sociedad le caerá encima como una pared de ladrillos! ¡Adiós! O debería decir: ¡*Vasta* la vista!

Y salió azotando la puerta a sus espaldas.

Seis

Stan corrió por el terreno baldío frente a las calles de casas adosadas y por la calle Embarcadero, hasta llegar a su casa. La camioneta de SOSA pasó junto a él, pero no la notó. Estaba completamente hechizado por sus peces, obsesionado con ellos. Se escurrió por la puerta y fue a buscar una cubeta vacía. La llenó con agua limpia y clara, y ahí depositó uno por uno a los hermosos peces dorados. Ahí estaban: trece hermosas criaturas milagrosas, nadando juntas y libres ante sus ojos.

Su tío ya estaba de vuelta en el trabajo. El estrépito y el estruendo de las máquinas era más ensordecedor que nunca. Ernie gritaba más fuerte que nunca.

Stan levantó la cubeta con los peces.

—No se preocupen por el ruido —les susurró—. Sólo es mi tío Ernie. Yo los voy a cuidar para siempre.

—¡STAN! ¡STAN! ¡VEN AQUÍ, MUCHACHO!

Stan se dio la vuelta.

—Pero, tío Ernie… —comenzó a decir.

—¡NADA DE "PERO, TÍO ERNIE"! ¡VEN AQUÍ, MUCHACHO!

Ernie le hizo un gesto con la mano para que se acercara.

—¡Estamos en crisis! —dijo—. ¡Una enorme, gigante, descomunal catástrofe!

Stan arrastró los pies hasta donde se encontraba su tío.

—Pero, tío Ernie... —dijo.

—¡Nos atacan y todo lo que puedes decir es "pero, tío Ernie"! ¡Ven acá! ¡Tira de esa palanca, apaga ese interruptor, engrasa ese maldito motor! —gritó, y justo en ese momento notó los peces—. ¿Qué son *ésos*?

Stan se dio cuenta de que todavía tenía la cubeta en la mano.

—Son peces dorados —dijo—. Me los gané en la feria. El chiquito me lo gané con el dinero que me diste por mi cumpleaños, tío Ernie.

Ernie torció la boca.

—Mmm —murmuró—. ¡Qué cosas tan flacuchas!

—Pero mira —agregó Stan.

Acercó la cubeta a su tío para que pudiera ver por sí mismo la hermosura de los peces.

Ernie entrecerró los ojos y sumergió un dedo en el agua.

—¡Peces dorados! —gruñó finalmente—. ¿De qué le sirven unos peces dorados a un hombre como yo?

Los arenques son los peces que importan. Los arenques y el abadejo y el bacalao y…

Metió la mano entera en el agua y los peces nadaron a su alrededor.

—¿Ves? —dijo Stan—. ¿No son hermosos?

Ernie los miró pensativo. Sintió las aletas y las colas de los pequeños peces mientras se escurrían entre sus dedos.

—Gracias por las diez libras, tío Ernie —dijo Stan.

Entonces añadió algo que lamentaría por el resto de su vida.

—Si no me las hubieras dado, los peces hubieran…

—¿Hubieran qué? —preguntó Ernie.

—Hubieran muerto. Había un señor que los tenía colgados en un…

Los ojos de Ernie se perdieron en la ensoñación. Luego volvió a la realidad.

—¡Basta! —exclamó—. Estamos viviendo un tiempo de retos y desafíos y tribulaciones. ¡Tenemos trabajo que hacer y acciones qué emprender! ¡Saca a esas tontas criaturas de mi vista y ponte a trabajar! ¡AHORA!

Stan corrió a su despensa y bajó la cubeta. Corrió de vuelta a las máquinas y se remangó la camisa. Estaba más contento de lo que se había sentido desde hacía semanas. Había tenido tiempo libre, había ido a la feria y había ganado los mejores premios.

—Listo. ¿Qué tengo que hacer?

—Párate ahí. ¡Eso! Dale vuelta a eso. ¡Exacto! Aprieta aquello. ¡Muy bien! Así se hace. Más rápido, muchacho. ¡Más rápido! ¡Más rápido! No te detengas. ¡No! ¡No arruinarán los sueños de Ernest Potts!

—¿Quién no los arruinará, tío Ernie? —preguntó Stan mientras apretaba y tiraba y giraba.

—¡No te preocupes por eso! —respondió Ernie—. ¡Yo me encargaré! Sólo concéntrate en tu trabajo, muchacho. ¡Más rápido! ¡Más rápido! ¡Eso es! ¡Pez pez pez pez! ¡Máquina máquina máquina máquina! ¡Así es, así se hace!

Y trabajaron juntos y cantaron juntos.

¡Peces en tambos y peces en cubetas!
¡Corta la cabeza, la cola y las aletas! ...

Sus voces se mezclaban con el ruido de los engranajes, y sus movimientos se revolvían con los de las máquinas; por un lado entraban pescados y por el otro salían latas, y en el fragor del trabajo, Stan y su tío olvidaron todos sus problemas. Después de un rato, Ernie gritó:

—¿Lo estás disfrutando, muchacho? ¿La estás pasando bien?

Stan se rio y levantó el pulgar.

—¡Sí, tío Ernie! ¡Sí! —gritó en respuesta.

—¡Bien! —dijo Ernie—. ¡Esto es trabajar, hijo! ¡Trabajar de verdad! ¡Tu padre estaría orgulloso de ti! ¡De eso se trata!

Y rieron con fuerza y trabajaron y cantaron y sintieron una extraña felicidad. Estaban haciendo tanto ruido que no se dieron cuenta cuando entró Annie.

Siete

Annie traía una fiesta completa en la bolsa de la compra: palitos de queso, rollos de salchicha, limonada, pastelillos de chocolate, un pastel que decía "Feliz cumpleaños" escrito con betún, y una bolsa con velas. Armó una mesa juntando dos cajas de madera, usó las etiquetas de las latas de pescado como servilletas, colocó algunas cubetas a manera de sillas, sacó la cena de cumpleaños. Todo lucía hermoso, era lo más hermoso que había habido en la casa desde que comenzó el proceso de enlatado. Annie sonrió satisfecha, se dirigió al panel de control, encontró el enorme interruptor que decía INTERRUPTOR MAESTRO, se estiró y lo bajó. Las máquinas se detuvieron de improviso.

—¡Sabotaje! —gritó Ernie—. ¡Prepárense para luchar! No podrán...

—No es sabotaje —respondió Annie con calma—. Es la hora de la cena.

—¿Cena? —dijo Ernie—. ¿Qué no te das cuenta de que estamos atravesando por tiempos de...?

—Tiempos de cumpleaños de nuestro sobrino —interrumpió Annie—. Así que tómate un descanso y ven a cenar.

Ernie le lanzó una mirada llena de enojo y emitió un grito sofocado.

—Pero hay...

Annie se acercó y lo besó en la mejilla.

—Esto es especial —dijo—. Así que guarda silencio por una sola vez.

Stan se bajó de la máquina en la que trabajaba. Caminó medio aturdido hacia la mesa con la espléndida comida de cumpleaños.

Annie dio un par de palmaditas de gusto.

—Se trata de nuestro sobrino Stan —le dijo a su marido—, y él es considerablemente más importante que nuestros pescados.

—Yo ya tengo mis propios peces, tía Annie —dijo Stan.

Le mostró los peces y le contó la historia de cómo los había obtenido.

—¡Oh, son hermosos! —dijo Annie, complacida—. Son los peces más hermosos del mundo entero.

Stan dejó la cubeta cerca de la mesa. Mientras comían, miraban y admiraban a los peces. Todos excepto Ernie, claro, que no pudo pasar bocado. El recuerdo de la visita del inspector daba vueltas y se retorcía en su cerebro.

—Tranquilo, Ernie —decía Annie—. Cálmate y come un poco de pastel.

Pero no podía calmarse. El pastel le sabía a aserrín. ¿Cómo podría contarle a su familia acerca de Clarence P. Clapp? ¿Cómo enfrentaría la catástrofe? Apretó el puño. Necesitaba una estrategia, un plan. Los peces dorados destellaban y fulguraban a sus pies. Sumergió la mano en la cubeta y sintió las pequeñas colas y aletas entre sus dedos.

—Necesitamos una nueva línea de productos —declaró.

—¿Una qué? —preguntó Annie.

—Debemos dejar los arenques y el bacalao.

—¿Dejarlos y hacer qué? —preguntó Annie nuevamente—. ¿Y por qué?

—¡Porque nos atacan! —respondió Ernie.

Annie sacudió la cabeza.

—¿De qué estás hablando, cariño?

De pronto, se escuchó un fuerte golpe en la puerta y después, silencio.

—¿Qué fue eso? —dijo Annie y se puso de pie para ir hacia la puerta.

—¡No vayas! —gritó Ernie—. ¡No los dejes entrar!

—¿Que no deje entrar a quién? —preguntó Annie.

—¡A ellos! —respondió Ernie.

—¿A quién? —dijo Annie y abrió la puerta.

No había nadie, sólo una camioneta blanca que se alejaba a gran velocidad. Entonces lo vio: un aviso clavado en la puerta.

SOSA

SOCIEDAD de OBSERBACIÓN de SOSPECHAS APESTOSAS

PRIMERA y ÚLTIMA ADBERTENSIA

Por medio de la presente se declara que el día 31 de Junio Un loco conosido como señor Mudo, a sido descuvierto realizando actas sospechosos y apestosos en su morada, en el número 69 de la calle Bascadero y, por lo tanto, se entrega esta PRIMERA y ÚLTIMA ADBERTENSIA a dicho loco y su Familia, si la tiene.

¡Todos los actos sospechosos y apestosos deben detenerse de inmediato!

De lo contrario toda la parafernalia sospechosa (osea, máquinas y motores y tubos y todo lo demás que e visto) será remobido por la fuerza.

ADEMÁS, dicha Familia será dezalojada (osea, ¡lanzada a la calle)!

Firma
DON CLARENCE P. Clapp
(envestigador en primer grado, siete galones, dos estrellas)

P.D. ¡Esto NO es una vroma!

P.P.D ¡CUIDADO! ¡El envestigador volverá sin abiso previo!

USTED HA SIDO ADBERTIDO!

¿Tiene algún vecino sospechoso? Llame al 0191 876 5432
¡NOSOTROS NOS ENCARGAMOS!

visite nuestra pájina en interne: www.SOSA.grb

Ocho

Cuando vio el aviso, Ernie se encaramó en una máquina limpiadora y sacudió los puños al aire.

—¡No nos rendiremos! —gritó—. Lucharemos en las habitaciones y lucharemos en la cocina y lucharemos en el corredor. Construiremos barricadas y trampas. ¡No nos rendiremos! ¡Dios y la justicia están de nuestro lado!

—No, no lo están —dijo Annie—. Lo único que está de nuestro lado es la bobería. ¡Mira nada más lo que le hemos hecho a nuestra linda casa!

—¡Pero mira lo que obtuvimos! —bramó Ernie—. Mira este boyante negocio. ¡Tenemos dinero en los bolsillos y comida en la mesa!

—¿Mesa? —objetó a su vez Annie—. ¡Ni siquiera tenemos mesa!

Stan se retiró en silencio a la despensa con un pedazo de pastel de cumpleaños. Desmigajó un poco y se lo dio de comer a los peces. Sus pequeñas bocas se abrían y se cerraban tal como si estuvieran cantando y Stan cantó con ellos:

Feliz cumpleaños a mí,
Feliz cumpleaños a mí,
Feliz cumpleaños, querido Stan,
Feliz cumpleaños a mí...

Mantuvo la mano en el agua para acariciar y hacer cosquillas a los peces dorados, que nadaron hasta la superficie y lo miraron con sus pequeños ojos negros.

—Ustedes son mis mejores amigos —les susurró.

Afuera, Ernie rugía, hablaba sobre la venta de sardinas, las ganancias de las macarelas y los ingresos de los arenques.

Stan negó con la cabeza.

—Esos peces no importan —musitó—. Los que importan son los peces dorados porque son hermosos, grandiosos.

Como si entendieran, los trece peces se retorcieron y ondearon en el agua. Stan rio y les sonrió. Estaba seguro de que, si pudieran, ellos también sonreirían.

Afuera todo cayó en un silencio mortal: no se oían las máquinas, no se oían las consignas ni las canciones, no se oía ninguna discusión.

Annie se acercó a la despensa de Stan.

—Tu tío está pensando —susurró.

—¿Pensando en qué? —susurró Stan a su vez.

—Sólo está pensando —respondió Annie.

Juntos escucharon el silencio durante un momento.

—Quizá pensando recupere la razón —opinó Annie.

—Eso espero —dijo Stan, y suspiró y sonrió. Annie le acarició el pelo y los peces dorados nadaron agrupados alrededor de su mano.

Nueve

Pues bien. ¿Cómo podemos ver lo que pasó a continuación? ¿Cómo podremos leer acerca de semejantes hechos cobardes y pecaminosos y trágicos? No puede ser tan malo, dirás. Ay, inocente lector, sólo haz tu trabajo y sigue leyendo. Escucha. Observa. O cierra el libro y aléjate hacia relatos más felices. Deja atrás estas páginas malditas. Márchate rápido.

Si no tienes miedo, sigue leyendo.

Es el momento más oscuro de la noche. Todo parece estar en calma en el número 69 de la calle Embarcadero. Stan duerme profundamente en su despensa: sueña con patos y peces en una cubeta, y con el ojo de una niña que se asoma por un hoyito en la mugre de la ventana. Annie también duerme y sueña sobre cómo solían ser las cosas: toma de la mano a su marido y a su sobrino, y caminan y ríen junto al reluciente río. Hay barcos a medio construir y hombres trabajando. Hay cenas de pescado empanizado y papas fritas en el muelle. No hay máquinas para enlatar pescado. La voz de Ernie se eleva con una amable carcajada.

Ernie no duerme, no ríe. Está encaramado en una máquina cortadora. Piensa y piensa, y mientras piensa llega a su mente una imagen: una visión gloriosa, maravillosa y terrible. Sabe que debe rechazarla, ignorarla, que debe luchar contra ella.

Y lo intenta. De verdad lo intenta.

—No —murmura para sus adentros—. ¡No! —Aprieta un puño.

A su alrededor las máquinas trabajan adormiladas entre pequeños crujidos de electricidad, borboteos de agua, silbidos de vapor. Ernie sabe que las máquinas son suyas, que lo están esperando, que harán lo que él quiera. Sabe que las máquinas podrían convertir su visión en realidad.

Pero sigue luchando contra aquella imagen.

—No. ¡Ay! ¡No puedo! ¡No!

La noche se hace más profunda y oscura, y la imagen vuelve una y otra y otra vez, y Ernie farfulla:

—No. No. ¡No!

Entonces comienza a clarear. Es la hora más tranquila, más muerta, el momento más oscuro de la noche.

—No —susurra de nuevo, al tiempo que se baja de la máquina cortadora, pasa de puntitas junto a su mujer dormida y camina de puntitas hacia la puerta de su sobrino, que duerme. Ernie tiene un sartén en la mano. Y las máquinas suspiran, mitad de horror, mitad de júbilo ante lo que su amo está por hacer.

—Sé valiente —se dice a sí mismo mientras se escabulle en silencio dentro de la despensa—. Sí, es horrible; pero es por nuestro bien. Sí, es cruel; pero nos hará ricos. Nos hará famosos, y entonces nadie podrá cerrar nuestra fábrica, nadie podrá quitarnos nada, jamás. Hazlo, Ernie. Hazlo. Hazlo por el futuro, por la familia, por el pobre Stan…

Ernie abre la puerta. Un rayo de luz de luna baña la cara del niño dormido y atraviesa el agua de la cubeta. Ahí están los hermosos y tiernos peces dorados. A estas alturas Ernie está inmerso en su propia visión. No hay ninguna resistencia. Sonríe mientras sumerge la mano en el agua y atrapa a los peces uno por uno y los pone en el sartén.

Atrapa doce peces, que yacen en el sartén tratando de respirar, retorciéndose y arqueándose. El número trece huye y se hunde en el agua, escapando una y otra vez de entre los dedos de Ernie, quien chasquea la lengua y gruñe.

—No te muevas, latoso…

El chico se mueve entre sueños. Ernie se agacha y se queda quieto como una estatua, casi no respira. Los doce peces chupan el aire en una agonía frenética, y en silencio. El chico duerme. Ernie se escabulle de espaldas y sale por la puerta.

—Vengan conmigo, hermosos míos —susurra.

Se apresura hacia sus máquinas.

—Esto no les va a doler —dice.

Presiona botones, tira palancas, baja interruptores. Sonríe. Aprieta los puños y da saltos de gusto cuando las máquinas vuelven a la vida y comienzan a hacer su trabajo.

Diez

Ya es de día cuando Stan se despierta. No suenan ni la alarma ni la sirena, ni el "arriba-arriba". Stan se talla los ojos.

—¿Se me hizo tarde? —pregunta.

Entonces mira hacia abajo y encuentra la cubeta desierta. Un solo pez se eleva desde las profundidades, y su boca dibuja una O y otra O y otra O, y Stan oye su voz en algún lugar de su cerebro.

"Mis compañeros", llora el pez.

—¡Tus compañeros! —responde Stan—. ¿Dónde están?

El pez se da la vuelta y oculta la cara.

"Se los llevaron."

—¿Se los llevaron? ¿Qué quieres decir? ¿Quién se los llevó?

Pero no obtiene respuesta. El pez nada hacia el fondo de la cubeta en medio de la pena y el silencio.

Afuera se oye un grito. Un grito de espantosa alegría, de triunfo.

—¡Sí! ¡Sí! ¡Sí! ¡**SÍ**!

—¡Oh, no! —grita Annie.

—¡sí! —exclama Ernie.

Stan se levanta y abre la puerta. Su tío se vuelve a verlo.

—¡Aquí está! —afirma—. ¡Es nuestra nueva línea de productos!

Ernie levanta una pequeña lata con una etiqueta dorada: PECES DORADOS EN LATA *de Potts.*

Once

¿Tú qué harías? ¿Brincarías de gusto por tener un tío tan ingenioso? ¿Te lanzarías sobre él a puñetazos y patadas? ¿Dirías "Te perdono, tío; sé que tus actos, aunque lamentables, surgen de puras buenas intenciones"? ¿Golpearías el suelo de pura angustia? ¿Gritarías de dolor? ¿Darías alaridos de rabia? ¿Patearías y bufarías y gruñirías?

Stan no hizo ninguna de esas cosas. El horror al ver la lata lo transformó. No podía moverse, no podía hablar. Ernie mecía la lata entre las manos y murmuraba algo acerca de un futuro dorado. Tenía los ojos vidriosos y hablaba de anaqueles enteros repletos de peces dorados *gourmet* enlatados por Ernest Potts. Hablaba de cenas en el Ritz en las que los invitados degustarían los Peces Dorados en Lata de Potts.

Annie se acercó a su sobrino. Trató de abrazarlo, pero él no se movió. Era una estatua. Su corazón latía al ritmo de las trágicas palabras del pez número trece: "¡Mis compañeros! ¡Mis compañeros! ¡Ay, mis compañeros perdidos!"

POTTS
PECES DORADOS
EN LATA

Stan pestañeó, tosió, se agachó y levantó la cubeta.

—Creo que iré a dar un paseo, tía Annie —dijo.

—¿Un paseo?

—Sí.

Ernie sonrió.

—¡Buena idea, muchacho! —exclamó—. Estira las piernas. Aclara tu mente. Respira aire fresco.

Le guiñó un ojo a Annie.

—¿Ves? —dijo—. Se repondrá, ¿verdad, muchacho?

Ernie se quitó del camino mientras Stan pasaba junto a él. Se le acercó para acariciarle el pelo, pero Stan se volvió y le dijo:

—Preferiría que no hicieras eso.

Abrió la puerta.

—¿Stan? —lo llamó Annie—. ¿Stan?

—Estaré bien —respondió Stan.

—¿Ves? —dijo Ernie—. Déjalo solo. Es lo que necesita.

Entonces se lo ocurrió una idea.

—¡Oye, Stan! Podrías volver a la feria y conseguirme más de estas bellezas. ¡Con dos toneladas alcanza! ¡Jajajajajaja! ¡Peces dorados en lata! ¡Van a ser más solicitados que las sardinas! ¡Acabarán con el atún! ¡Aniquilarán las anchoas! ¡Peces dorados en lata! ¡Soy un genio! ¡Soy un genio del pescado! La fama y la fortuna están a la vuelta de la esquina… ¡Jaja! ¡Jajajajajaja!

Stan se volvió, miró a sus tíos por última vez y se marchó.

Doce

Annie llamó a Stan desde la puerta mientras él se alejaba por el camino. ¿Debería seguir a su desalentado sobrino? ¿Debería entrar a la casa y calmar a su marido? Se quedó cerca de la puerta. Otros ojos observaban a Stan, los de Don Clarence P. Clapp. La camioneta de SOSA estaba medio escondida en un callejón al final de la calle. Clarence P. pegó su ojo redondo y brillante al telescopio. Lo dirigió a Stan y luego lo dirigió hacia la puerta abierta del número 69 de la calle Embarcadero.

—Una *vergoncés* —murmuró—. Absolutamente *atrocísimo* —dijo recargándose en la puerta de la camioneta—. Es precisamente justo como lo imaginé, muchachos.

Esta vez Clarence P. no estaba solo. Llevaba consigo a la Brigada SOSA, que se encontraba apretujada dentro de la camioneta con la forma de cuatro tipos vestidos de negro, con las cabezas rapadas, gruesos cuellos y manos enormes. Sus nombres eran Doug y Alf y Fred y Ted.

—Miren esto, muchachos —dijo Clarence, y la Brigada SOSA se empujó para alcanzar el telescopio—. ¿Qué les parece? —preguntó.

Doug dijo que aquello era una asquerosidad.

Alf dijo que era muy atroz.

Fred dijo que era terrible, "jefe".

Ted negó con la cabeza y respiró profundamente.

—Jefe —dijo—, ahora veo que tenía razón en todo. El mundo de estos tiempos se ha vuelto loco. Será un honor enseñarle a esa gente una lección, lanzarlos a la calle y golpearles la cabeza.

—Bien dicho, Ted —dijo Clarence P.—, el Gran *Envestigador* en Jefe de Sospechas Apestosas estaría muy orgulloso de ti. Bien, muchachos, es hora de prepararse.

Y los muchachos comenzaron a tocarse las puntas de los pies y a agitar los brazos y a correr en su lugar, y la camioneta se sacudió y crujió. Los extraños ruidos llamaron la atención de Stan, que se detuvo cuando pasaba junto a la camioneta. Clarence P. enfocó el telescopio justo hacia la cara de Stan.

—Rápido, muchachos —dijo—. Éste es uno de ellos, uno de los bárbaros del diablo.

Los muchachos miraron, gruñeron y gimieron de asco.

A Fred le dieron arcadas.

—Es la cosa más horriblísima que he visto, jefe —aseveró.

—Bien dicho, Fred —dijo Ted.

—Yo puedo con él —agregó Alf—. ¿Le puedo tirar los dientes, jefe?

—No, Alf —dijo Clarence P.—. Es un menor. Tenemos peces más grandes que freír. Déjalo ir.

Stan miró su cubeta y siguió caminando.

Clarence abrió su portafolios y sacó un pedazo de papel en el que se leía:

SOSA. ABISO DE DESALOJO

Se frotó las manos.

—Bien, muchachos —dijo—. Cabezas arriba, pechos afuera, espaldas rectas. Vamos.

Y los muchachos de la Brigada SOSA saltaron con todo y músculos al pavimento.

Stan caminaba bajo la luz del día. Pasó por Armas Shipwright y por el hostal del Ejército de Salvación y por la tienda Oxfam. El río brillaba a sus pies y a lo lejos estaba el mar azul. Conforme se acercaba al terreno baldío, vio que estaban desarmando la feria. La gran rueda de la fortuna estaba desmontada en pedazos sobre la tierra cerca de un enorme camión. Los caballos del carrusel estaban apilados dentro de un remolque. No se veían por ningún lugar el puesto de *hot dogs* o el de algodón de azúcar, o el antiguo remolque de la Rosa Gitana. Stan caminó entre todo aquello. Los hombres azotaban mazos y tiraban cuerdas y lonas. Había gritos y maldiciones y ruido de motores.

—¡Cuidado con la cabeza, muchacho! —gritó alguien—. ¡Fíjate, muchacho tonto!

Stan se agachó y siguió caminando. No sabía por qué estaba en aquel lugar ni lo que esperaba hacer o encontrar. Iba sin rumbo, aún aturdido. La tierra se estremeció bajo sus pies.

—Así que has vuelto —dijo una voz.

Claro, era Dostoievski caminando a su lado.

—No pudiste mantenerte lejos, ¿verdad?

Stan no respondió. Dostoievski se le acercó aún más, puso su brazo sobre el hombro de Stan y señaló la cubeta.

—¿Y dónde están los demás?

Stan no pudo responder. Los ojos se le llenaron de lágrimas. Una voz en su interior le dijo: "Márchate de aquí. Vete a casa". Otra le aconsejó: "Sigue caminando. Camina hasta el fin del mundo, Stan".

—¿Has venido a trabajar? —preguntó Dostoievski.

—¿Ya se van? —preguntó Stan.

—Así es. Ya desmontamos el puesto, empacamos los patos y enganchamos el remolque.

—¿A dónde irán?

—Aquí y allá, cerca y lejos. Puede que al otro lado del mundo... —Hizo una pausa y sonrió—. ¿Has venido para marcharte con nosotros, joven Stan?

—No —respondió Stan, pero mientras lo decía se preguntó si la respuesta no debía ser "sí".

—Tengo peces nuevos —dijo Dostoievski—. Hermosos y brillantes. —Se acercó un poco más—. A Nitasha le dará gusto verte. No dice gran cosa, pero puedo verlo en sus ojos. Yo creo que está encantada contigo, muchacho.

Stan no respondió. Más adelante había una camioneta con un remolque enganchado. En la ventana se veían los patos de plástico. Nitasha se asomó por la ventana de la camioneta. De pronto, Stan pudo verse sentado junto a ella, alejándose de las máquinas y las latas de pescado, viajando libre por el mundo.

—¿Sabes qué creo, joven Stan? —dijo Dostoievski—. Creo que eres un muchacho que ha estado encerrado demasiado tiempo, un muchacho que está listo para tener una aventura. ¿Me equivoco?

Stan se encogió de hombros.

—Hay mucho trabajo para ti —dijo Dostoievski—. Todos esos pececitos que cuidar y todos esos patos que limpiar. Es tu decisión, pero a mí me parece que estás hecho para viajar con un puesto de Pesca-un-pato.

Stan suspiró. Quizá Dostoievski tenía razón. En realidad él no estaba hecho para trabajar con máquinas enlatadoras en la calle Embarcadero. ¿Qué clase de vida era ésa? ¿Y qué clase de vida era vivir con un tipo como el tío Ernie, que podía hacer cosas tan espantosas como la que había hecho anoche? Suspiró profundo.

—Y, por supuesto, te voy a pagar —agregó Dostoievski—. Tal y como lo prometí.

Stan suspiró de nuevo. "Sé valiente", se dijo.

—¡Está bien! —exclamó al fin—, iré con ustedes.

—¡Buen chico! —gritó Dostoievski y abrió la puerta de la camioneta—. ¡Mira quién viene con nosotros, Nitasha! —gritó otra vez.

Nitasha entornó los ojos y miró a Stan detenidamente, como si estuviera asomándose por un agujerito. En el asiento trasero había una pecera repleta con un cardumen de hermosos peces dorados.

Stan se subió a la camioneta.

—Así se hace —replicó Dostoievski—. Cuida los peces, muchacho. No queremos que se salgan, ¿verdad?

Se sentó en el asiento del conductor, encendió el motor y comenzó a conducir lentamente por el terreno lleno de baches. Aumentó la velocidad en la cuesta que se alejaba del río. Stan miró a través de la ventana. Vio la calle de su casa. Vio a su tío y a su tía parados frente a la puerta. Junto a ellos había montones de tubos y cables. Un tipo fornido vestido de negro bloqueaba la puerta cruzado de brazos.

—Si quieres, mete ahí a tu pez —le dijo Dostoievski a Stan, señalando la pecera con un movimiento de la cabeza.

Stan sumergió la mano en la cubeta. Sacó al pequeño pez y lo metió en la pecera.

"¡Oh, mis compañeros!", oyó decir en su cabeza.

Nitasha se dio la vuelta y le sacó la lengua a Stan.

—Bienvenido a nuestra pequeña familia, Stan —dijo Dostoievski. Luego pisó el acelerador y se alejaron del pueblo, de todo lo que Stan había conocido hasta entonces.

LA FERIA

Trece

Ya casi es la hora de Pancho Pirelli. Pronto entrará en escena. Te preguntarás quién es Pancho Pirelli: es un hombre de leyenda piscícola, un genio ictiológico, es un hombre tan asombroso que algunos se preguntan si es humano. ¿Cómo consigue hacer lo que hace? ¿Cómo puede evitar la muerte una y otra y otra vez? Debe tener agallas, debe tener escamas, debe tener un pedazo de pez en el cerebro, debe tener partículas marinas flotando por su sangre. Es un hombre de leyenda, y cuando aparezca volteará de cabeza el mundo de Stan. En este momento, desde luego, justo en esta página, Pancho ni siquiera sabe que existe un muchacho llamado Stanley Potts. Y Stanley no tiene idea de quién es Pancho. Pero sus caminos ya están determinados: se dirigen el uno hacia el otro. Lo quieran o no, van a conocerse. Es su destino. Falta poco.

Mientras tanto, aquí va Stan avanzando lentamente en la camioneta con Dostoievski y Nitasha. A sus espaldas el remolque cruje y se bambolea. Avanzan por un camino junto al mar. Hay dunas y playas y agua infinita y algunas chozas de madera y un par de pueblos. El sol brilla en el cielo azul y el mar relumbra y la brisa sopla y hay barcos danzando sobre las olas y Dostoievski está más contento que nunca.

—¡Esto es vida, Stan! —le dice—. ¡El camino abierto! ¡El mundo es tu ostra! ¡Somos libres y no tenemos preocupaciones!

Dostoievski gira el volante para no caer en un bache del camino y le sonríe a Stan por el espejo retrovisor.

—¿Qué te parece, Stan? ¿Que soy un experto en no tener preocupaciones?

Stan desvía la mirada, sumerge un dedo en la pecera y observa las dunas que desfilan a su lado. Comienza ya a preguntarse si se ha equivocado. ¿Por qué le dio la espalda a todo lo que ama? ¿Qué bicho le picó?

Nitasha se vuelve desde su asiento y sonríe.

—¡Tiene dudas! —dice.

—¡Claro que no! —dice Stan.

Dostoievski observa al chico.

—Es normal que tenga dudas —dice—. Tú también las tendrías, Nitasha, si hubieras hecho lo que él hizo. ¿Es eso, Stan? ¿Tienes dudas?

Stan trata de controlar su voz y evita la mirada de Nitasha.

—No —responde, pero su voz no es más que un murmullo.

—¿Extrañas a tu familia? —insiste Dostoievski.

Stan se topa con la mirada de Dostoievski en el espejo.

—Sólo un poquito, señor Dostoievski —responde por fin. Nitasha contiene la risa.

Dostoievski le guiña un ojo a Stan por el retrovisor.

—Seguro que sí. Pero no te preocupes —dice—. Pronto te acostumbrarás a estar con nosotros. Pronto te acostumbrarás a ser libre, ¿verdad, Nitasha?

—¡Sí! —resopla Nitasha.

Stan baja la mirada. "Sé valiente", se dice a sí mismo.

—Y pronto olvidarás a los que dejaste atrás —afirma Dostoievski—. ¿Verdad, Nitasha?

—¡Sí! —responde Nitasha de golpe—. ¡Claro que lo hará!

—Así es —dice Dostoievski—. No te preocupes, hijo. Ahora nosotros somos tu familia y te cuidaremos.

Dostoievski hunde el pie en el acelerador. El motor ruge. La camioneta y el Pesca-un-pato salen disparados como rayos.

Stan se acomoda en su asiento. Se repite que ha hecho lo correcto. Se repite que todo estará bien y que debe ser valiente. Pero tiene que contener las lágrimas.

Catorce

Avanzan y avanzan. Dostoievski y Nitasha comen empanadas de carne y golosinas que compran en una gasolinera del camino. Nitasha tira dulces sobre su hombro: cacahuates cubiertos de chocolate, gomitas, bolas de chicle, mentas, paletas, pasitas. Todo cae sobre el regazo de Stan y sobre el suelo y sobre el asiento. Stan mira el mundo por la ventana y, entre más avanzan, ese mundo le parece más y más grande.

—Tienes que comer —dice Dostoievski—. Tienes que conservar las fuerzas, Stan. No es una vida fácil esta de atender un puesto móvil de Pesca-un-pato.

Así que Stan chupa una paleta de caramelo con forma de corazón que dice "BÉSAME RÁPIDO" y "ERES UN ENCANTO". Mastica con calma una gomita azul. Remoja los dedos en la pecera y siente las colas y las aletas y las pequeñas bocas de los peces que se mueven tiernamente contra su piel. Hay más remolques de la feria en el camino. Los rebasa un camión enorme que carga el Muro de la Muerte. Stan alcanza a ver el remolque que lleva a la mujer barbuda y a la señora de los mil tatuajes, que los saludan por la ventana. Dostoievski las saluda de vuelta y toca el claxon.

El día se agota y la luz comienza a difuminarse. El sol baja hacia el oscuro mar. A lo lejos hay una ciudad: chapiteles y rascacielos y cúpulas. Dostoievski se anima.

—¡Ahí es! —grita—. ¡Ése es el lugar que necesita un Pesca-un-pato!

Se acercan a las afueras de la ciudad y se paran ante un semáforo en rojo. Un policía se acerca y se detiene frente a la camioneta con los brazos en la cintura.

—¡Pórtate bien, Stan! —susurra Dostoievski.

El policía camina hasta la puerta del conductor.

—Vienen con la feria —afirma.

—Correcto, oficial —responde Dostoievski.

—¿Nombre?

—Wilfred Dostoievski, oficial. Y los muchachos son Stanley y Nitasha.

El policía se acerca a la puerta de Stan. Se asoma por la ventana. Abre la puerta y alumbra con una linterna la cara de Stan. Stan tiene deseos de gritar: "¡Sí, me atrapó! ¡Arrésteme! Soy Stanley Potts, el niño que huyó de la calle Embarcadero!".

El policía entrecierra los ojos.

—Así que tú eres Stan —susurra.

—Sí, oficial.

—Y dime, Stan —dice en voz muy baja—, ¿eres uno de esos muchachos que dan problemas?

—Claro que no, oficial —interviene Dostoievski—. Es un muchacho muy...

El policía se vuelve para mirarlo.

—¿Le pregunté a *usted*, señor Dostoievski?

—No, oficial —admite Dostoievski.

—¡Entonces no se meta!

El oficial muestra los dientes a modo de sonrisa.

—¿Eres de los que causan problemas, joven Stanley? —pregunta de nuevo.

—No, señor —susurra Stan.

—¡Qué bueno! Porque ¿sabes lo que les hacemos aquí a los que causan problemas?

—No, señor —replica Stan.

—Si lo supieras... ¡te morirías de miedo! —amenaza el policía y sostiene la linterna alumbrando la cara de Stan—. ¿Sabes algo?

—No, señor.

—Yo conozco a los niños como tú y sé a qué se dedican, especialmente en estos tiempos. De hecho, conozco a los zarrapastrosos como ustedes, que trabajan en las ferias viajando de un lugar a otro y dejando niños latosos en su camino. También sé que, si dependiera de *mí*... —Baja la linterna—. Pero ésa es otra historia.

El tráfico comienza a acumularse tras la camioneta. Suena un claxon. El policía se retira de la puerta y dirige la luz de la linterna al auto que está justo detrás.

—¡Lo siento, oficial! —exclama una voz asustada—. ¡Me equivoqué! ¡No lo vi ahí parado!

El policía anota algo en su libreta. Con la linterna señala un camino secundario y fulmina a Dostoievski con la mirada.

—Ahí los estamos mandando a todos ustedes —dice—. Cerca del terreno baldío, por donde están los basureros. Es ahí donde instalarán su tonta feria. Ahí se van a quedar y no pueden ir a ningún otro lado. Y cuando la feria se termine...

—Cuando se termine —agrega Dostoievski—, levantaremos todo y nos marcharemos.

—Exacto. Y si causan algún problema...

—Si causamos algún problema, pagaremos.

—Puedo ver que lleva en este negocio mucho tiempo, señor Dostoievski.

—Toda la vida —responde Dostoievski.

El policía sonríe con desdén y niega con la cabeza.

—Qué manera más estúpida de desperdiciar una vida. Ande, márchese. Y no quiero volver a ver a sus latosos niños de nuevo. ¡Largo!

Dostoievski conduce hacia el camino secundario, oscuro y cubierto de baches.

—Siempre es lo mismo, Stan —dice—. Nos tratan como si fuéramos una enfermedad cuando deberían considerarnos una bendición. No hagas caso.

A cada lado del camino hay árboles con follaje colgante y altos setos. El camino se convierte en un resbaloso sendero de tierra. Aparece de pronto un espacio abierto en el que arden fogatas. El humo se enrosca hacia el cielo. Hay camionetas y remolques y perros deambulando y niños corriendo, y música.

—Ya llegamos —dice Dostoievski—. Aquí te cuidaremos Nitasha y yo, Stan. ¿Verdad, amor?

Quince

Así están las cosas con Stanley Potts. No ha tenido una vida fácil, ¿verdad? La vida no ha sido para él un lecho de rosas. Stan no ha recorrido un camino de prímulas. El suyo no ha sido un paseo por el parque. De ninguna manera. Pero lo bueno de la situación es que Stan tiene lo más importante del mundo: un buen corazón. Y si tienes un buen corazón, como lo tienen casi todos los niños, entonces podrás sobrevivir.

De modo que aquí está Stan con su nueva y desconocida familia en un terreno lleno de baches, en una ciudad lejana, rodeado por un grupo de personas que algunos llamarían vagabundos o bichos raros. Dostoievski estaciona la camioneta. Pasean por el terreno. Mientras caminan escuchan voces que los llaman desde la oscuridad y por las ventanas de los remolques.

—¡Son Dostoievski y Nitasha! ¿Cómo estás, Wilfred? ¿Qué tal va todo, Nitasha? ¿Cómo va el negocio de Pesca-un-pato?

Y Dostoievski saluda con la mano y responde los saludos; un par de veces pasa el brazo sobre los hombros de Stan y dice:

—¡Éste es Stan, mi nuevo muchacho! ¡Es un chico estupendo!

—Y las voces responden:

—¡Hola, Stan! ¡Bienvenido a la feria, hijo!

Pasan cerca de los violinistas y del encantador de serpientes y de un trío de muchachos parados uno en los hombros del otro.

Se sientan junto a una fogata. Hay un grupo de personas sentadas en torno al fuego; sus caras brillan en la luz. Un hombre se acerca y atiza las brasas con unas pinzas. Le ofrece algo a Stan, algo negro y redondo y humeante.

—Tómalo —le dice con voz rasposa—. Es para ti. Anda, muchacho.

Stan observa la ofrenda y no se mueve. El hombre echa a reír.

—Tómalo —dice de nuevo.

—Tómalo —dice Dostoievski.

Nervioso, Stan se estira y toma la cosa aquella. Es dura, negra y ardiente. Stan sofoca un grito, deja caer la cosa y la recoge. La gente alrededor de la fogata ríe.

—Lánzala arriba y abajo —instruye Dostoievski—. Así se enfriará.

Stan lanza la cosa de arriba a abajo, y de una mano a otra.

—Ahora rómpela como romperías un huevo —le sugiere el hombre.

Stan la oprime con el pulgar. La cosa sigue tremendamente caliente. Stan casi no puede sostenerla en la mano, pero la presiona de nuevo y ésta se rompe y se abre. Parte de la costra negra se desprende y Stan puede observar que por dentro es perfectamente blanca. Al humo ahora se suma el vapor. Huele delicioso.

—¡Una papa! —exclama.

—Correcto —dice el hombre—. Es una papa.

Stan la acerca a su boca y la mordisquea. Puede saborear su ahumada cremosidad. Mira los rostros alrededor de la fogata. Todos lo observan y le sonríen.

Stan sigue comiendo. Es lo mejor que ha probado. Dostoievski ríe y pasa el brazo sobre los hombros de Stan, que suspira y comienza a relajarse. Se da cuenta de que está sonriendo. Mira a Nitasha, que le parece ahora más contenta y un poco más bonita.

Siguen sentados ahí. Comen más papas. Alguien pone en las manos de Stan una taza de té.

—Dinos, ¿de dónde eres, Stan? —pregunta un hombre del otro lado de la fogata.

—De la calle Embarcadero —dice Stan.

—Del pueblo donde estuvimos la semana pasada —explica

Dostoievski—. No lo han tenido fácil por allá: cerraron el astillero, gente desempleada, todas esas cosas.

—Necesitaba una vida nueva, ¿no? —dice el hombre.

—Así es —responde Dostoievski.

—Pues has venido al lugar correcto, Stan —dice una mujer cuyos collares y pulseras brillan con la luz del fuego—. Aquí estás entre amigos.

En algún lugar del baldío una mujer canta una hermosa canción en algún idioma extranjero.

Dostoievski y los demás conversan. Hablan de las ferias que recuerdan y de las que han oído hablar en leyendas y mitos. Alguien llega con una caja de cerveza. Mientras beben, hablan de actos de magia y de escapistas y de cabras de dos cabezas y de quienes pueden hablar con los muertos. Hablan con acentos extraños sobre lugares lejanos y tierras distantes. Stan los escucha y se pierde en las voces que crepitan y destellan como las llamas. Se pierde en las historias que se desplazan por el aire como sombras extrañas. Después de un rato, una enorme luna llena se yergue sobre el terreno y lo baña todo con una extraña luz plateada.

—Dicen que Pancho Pirelli está en camino —comenta una de las voces.

—¿Pirelli? Pensé que estaba en Madagascar o en Zanzíbar o algo así.

—Yo pensé que estaba muerto.

—Parece que lo vieron por el camino, más al norte.

—¿Pancho va a venir? Debe de ser un rumor.

—Nunca ha sido más que un rumor, todo eso que dicen de él. ¡Bah!

—Ya lo creerás cuando lo veas.

—No hay nada que creer. Es un actor, un embaucador.

—Te equivocas. Es uno de los grandes.

—*Era* —dice alguien más—. Era uno de los grandes. Era extraordinario. Pero hasta Pancho Pirelli envejece y pierde su magia y...

Aquella voz no termina la oración. Todos suspiran ante el nombre de Pancho y sacuden la cabeza con asombro.

—¿Quién es Pancho Pirelli? —se atreve a preguntar Stan.

—Ya lo verás —dice Dostoievski—. Si aparece, lo verás y sabrás que nunca has visto algo igual.

Todos asienten y siguen hablando de otras cosas.

Dieciséis

Se quedan cerca del fuego. Bien entrada la noche, Stan le dice a Dostoievski.

—Señor Dostoievski, creo que necesito ir al baño.

—¿Crees que necesitas ir al baño? —pregunta.

—Quiero decir que necesito ir al baño.

—¡El muchacho necesita ir al baño! —grita Dostoievski.

—¡Al tocador! —grita otra voz.

—¡Al trono! ¡El retrete! ¡El inodoro! ¡La taza! ¡La letrina!

Stan siente que le arde la cara.

—¿Dónde está? —murmura.

—Está allá en la oscuridad —responde Dostoievski—. Si vas a hacer del dos, ve en dirección del viento y cava un agujero. —Dostoievski toca ligeramente el hombro de Stan—. No te preocupes, mañana habrá un baño adecuado. Ve a la orilla del terreno. Estaremos pendientes de tu regreso.

Se escuchan algunas risas mientras Stan se levanta y se marcha. Arrastra los pies alejándose de la fogata. Tropieza con las huellas de las llantas y los hoyos y los matorrales. Percibe el olor de las papas y de la cerveza y del estiércol de caballo y del humo de la madera y el de las pipas. Un pequeño perro le olis-quea los pies. Un par de niños flacuchos y medio desnudos le gritan:

—¿Quién eres? ¿Cómo te llamas?

—Stan.

—¿Y qué haces aquí?

—Vengo con el puesto de Pesca-un-pato —responde Stan, y se sorprende al sentir un destello de orgullo.

—¡Ah! —responden los niños, impresionados.

Stan se aleja de las fogatas y camina hacia el borde oscuro del terreno.

—Te dije que nos encontraríamos de nuevo —dice una voz amable.

Stan se da la vuelta. Ve a una mujer de pie con un vestido largo y una mascada en la cabeza. Su cara brilla bajo la luz de la luna.

—La Rosa Gitana —dice ella—. ¿Recuerdas?

—Sí.

—Te dije que viajarías. ¿Recuerdas?

—Sí —responde Stan.

—Y debes de haberlo hecho, porque aquí estás, muy lejos de tu casa. Recuerdo que tu nombre es Stan—dice, y se acerca. Le levanta la barbilla y le dirige la cara hacia la luz de la luna—. Déjame ver tus ojos. Ah, sí. Veo que sigues hechizado. Y veo que estás triste, tal como dije que sucedería.

Stan no puede moverse. No sabe si correr o gritar o quedarse donde está.

—No te preocupes, Stan —murmura la Rosa Gitana—. No represento ningún peligro para ti. ¿Tienes algo de plata que poner en mi mano?

—No tengo nada —dice Stan.

—¿Nada? Eso no es verdad, ¿o sí, Stan? Te tienes a ti mismo. Tienes tu buen corazón. Nunca olvides eso. Ahora, digamos que la luz de la luna es tu plata. —La Rosa Gitana abre la mano y deja que la luz de la luna caiga sobre su palma—. Gracias, Stan. Ahora, abre la mano y déjame verla.

Toma su mano y la abre y deja que la bañe con su luz. Stan observa las líneas y las pequeñas arrugas y las protuberancias de su mano.

—La luz de luna es la mejor —dice ella—. Es la más pura para leer la verdad.

Ella sigue las líneas de la mano de Stan con la punta de un dedo.

—Oh, Stanley —murmura—. Ya has vivido momentos desastrosos en tu corta vida. Pero vivirás por muchos años y vendrán tiempos mejores, si eres capaz de sobrellevar los peligros que te esperan.

—¿Peligros? —susurra Stan.

—¿Cuál es el propósito de vivir si no hay peligros con los cuales enfrentarse y que sobrellevar? —sonríe la gitana. Stan no puede responderle—. Veo agua —continúa—. Aquí veo un gran peligro. —Ella se acerca más a la mano—. Pero debes ser valiente. Debes decir que sí. Podrías obtener mucho oro. No te preocupes por los dientes.

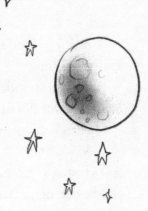

—¿Que no me preocupe por los...?

—No sé lo que quiere decir eso. Pero sé que dejaste a alguien atrás, Stan.

—Sí, a mis tíos: Annie y Ernie. ¿Puedes ver qué está pasando con ellos?

La Rosa Gitana niega con la cabeza.

—No, pero quizá tu corazón y la luna los traigan a ti.

—¿La luna?

—La luna está repleta del anhelo de los corazones humanos, Stan. ¿Te has dado cuenta de que brilla más fuerte cuando sentimos tanta añoranza que duele?

Stan no sabe qué responder. ¿Será cierto? Stan mira la luna, piensa en la ausencia de sus tíos y, sí, la luz de la luna parece intensificarse.

—Annie y Ernie miran la misma luna que tú, Stan —dice la Rosa Gitana—. ¿Ellos también tienen buen corazón?

—Sí —responde Stan. Entonces piensa en Ernie y en la lata de peces dorados y baja la mirada a la tierra—. Pero…

—Pero han cometido errores —dice ella.

—Sí.

—Todos lo hacemos. Si sus corazones son buenos y honestos, la luz de la luna que está llena de tu anhelo los atraerá hacia ti. Bien, imagino que tenías algo que hacer.

Stan pasa saliva.

—Necesito ir al baño —susurra.

—Pues ve —dice la Rosa Gitana—. Mira, cerca de esos viejos árboles está más oscuro.

Stan se da la vuelta para marcharse. Va hacia las sombras bajo los árboles y hace pipí en la plateada oscuridad. Cuando regresa, ella se ha marchado. Ahora Stan puede ver la oscura silueta de Dostoievski que camina por el baldío pronunciando su nombre.

Diecisiete

Esa noche, cuando al fin se van al remolque, Stan se acuesta sobre un camastro con una cobija y con el pez número trece y sus compañeros a su lado. La luna penetra por la pequeña ventana del remolque, y él la mira y lanza su anhelo a través de la noche. Entonces se duerme, y en sus sueños hay policías iracundos que le iluminan los ojos con linternas y le advierten que más le vale portarse bien. Una llamarada se eleva desde la tierra y se convierte en la luna. Hay voces ahogadas que susurran y ríen y cantan. Stan ve enanos y gigantes y cabras de tres cabezas. Un forzudo lo levanta, lo lanza al cielo y lo atrapa al caer. Un hombre que tiene un tigre en la espalda lo persigue hasta el bosque. Hay patos que dan vueltas alrededor de su cabeza. Stan se encuentra en aguas profundas, nadando, y tiene una aleta en la espalda. "¡Mis compañeros!", grita. "¡Ay! ¿Dónde están mis compañeros?" Ve a Annie y a Ernie caminando por un sendero junto al mar. Se ven muy viejos y demacrados y cansados. Los llama, trata de alcanzarlos. Entonces oye una voz en la distancia:

—¡ARRIBA! ¡SON LAS SEIS EN PUNTO Y ES HORA DE EMPEZAR!

Stan se levanta de un brinco. ¿Está de vuelta en la calle Embarcadero? ¿Ya es hora de empezar a enlatar pescado? No, se encuentra en el remolque. La voz es de Dostoievski.

—Son las seis en punto, Stan. Tenemos un puesto de Pesca-un-pato que montar. Es hora de empezar.

Dieciocho

Es fácil armar un puesto de Pesca-un-pato, especialmente si se trata de uno que ha sido armado tantas veces en tantos lugares durante tantos años. Stan comienza a trabajar con Dostoievski: atornillan los tablones de madera, ensartan los tubos para la carpa, la lanzan sobre los tubos, la amarran con un par de cuerdas. Dan dos pasos atrás para observar su trabajo; admiran y leen las letras rojas:

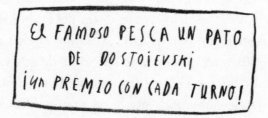

EL FAMOSO PESCA UN PATO
DE DOSTOIEVSKI
¡UN PREMIO CON CADA TURNO!

Van por la palangana de plástico para los patos y la ponen en el centro del puesto.

Stan disfruta el trabajo una vez que encuentra el ritmo, tal como disfruta cuando trabaja duro. Corre hacia un grifo en la orilla del terreno, llena una cubeta con agua, llena la palangana.

Mientras corre, Stan se da cuenta de que ya tiene amigos: gente que lo llama por su nombre y lo saluda con la mano.

En torno a ellos se arman muchos otros puestos y carpas de espectáculos. El sol brilla. La feria crece hora tras hora. Para los más pequeños hay juegos con gigantes tazas giratorias. Hay carritos chocones y un carrusel, hay una casa embrujada, un tren fantasmagórico, un castillo de Drácula, tiro al blanco y tiro al coco. Hay *hot dogs* y papas fritas y hamburguesas y carne y piernas de cerdo asadas. Stan mira el remolque de la Rosa Gitana con el poni amarrado en la entrada, y más remolques con nombres gitanos pintados a los lados. Llena la palangana, limpia los patos, los coloca sobre el agua. Va por las cañas de pescar y por los anzuelos, y los acomoda para que estén listos cuando lleguen los clientes. Saca los peces de la pecera y los mete en bolsas de plástico con mucha agua. Mientras cuelga a los peces sobre el puesto, les susurra que se asegurará de que vayan a hogares de gente buena. Desde luego, no saca al pez número trece, que nada elegantemente por la pecera mientras se despide de sus compañeros.

Dostoievski aplaude cuando todo está terminado. Ve que Nitasha los espía por la ventana del remolque y señala a Stan, en un gesto de verdadero orgullo. Nithasa frunce el ceño.

—¡Eres un trabajador innato, Stan! —dice—. Es como si hubieras nacido para hacer esto.

Stan busca algunas hojas de papel y una pluma. Se sienta sobre el pasto y, con mucho cuidado, hace unos certificados con su mejor letra.

Por medio de la presente prometo
que cuidaré bien de este hermoso pez.
le daré agua fresca y comida y amor.
firma _ _ _ _ _ _ _ _ _ _ _
fecha _ _ _ _ _ _ _ _ _ _ _

Nitasha sale del remolque. Tiene cara de dormida y lleva un viejo y sucio camisón.

—¿Qué es esto? —pregunta. Levanta uno de los certificados, lo lee y ríe burlona—. ¿Amor? —dice—. ¡Amor! ¡Sí, claro! ¿Crees que te van a hacer caso una vez que salgas de su vista?

—Sí —responde Stan—. Tienen que prometerlo.

Ella resopla de nuevo.

—¡Prometerlo!

—No le hagas caso a Nitasha, Stan —dice Dostoievski, que contempla a su hija y niega con la cabeza—. Solía ser una muchachita encantadora.

—¡Solía ser! ¡Solía ser! —repite Nitasha.

—Pero eso —agrega Dostoievski— fue en los tiempos de la *señora* Dostoievski.

Nitasha lo mira con rencor, se marcha de vuelta al remolque azotando los pies, entra y azota la puerta.

—¿La *señora* Dostoievski? —pregunta Stan.

—Así es —responde Dostoievski—. Mi esposa, la madre de Nitasha. Se fue a Siberia con una compañía de bailarinas y nunca volvió.

La puerta del remolque se abre y Nitasha se asoma.

—¡Para que lo sepas, me dijo que me llevaría con ella! —dice de mal modo y mira fijamente a Stan, y añade—: ¿Qué te parece?

—No lo sé —contesta Stan.

—¡Y luego dijo que yo no había practicado suficiente! Y ¿qué hizo?

—¿Se fue a Siberia? —pregunta a su vez Stan.

—¡Sí! ¡Se largó a Siberia!

Nitasha azota la puerta otra vez.

—¿A Siberia? —pregunta Stan.

—Fue hace más de un año —agrega Dostoievski.

La puerta se abre otra vez.

—¡Espero que esté atrapada en medio de una tormenta de nieve! —grita Nitasha—. ¡Espero que se convierta en hielo!

La puerta se cierra de golpe.

—A decir verdad, Stan —dice Dostoievski—, creo que la señora Dostoievski estaba un poco decepcionada de mí. Tenía sueños y ambiciones, y no creo que el puesto de Pesca-un-pato fuera suficiente para ella. En todo caso, Nitasha no ha sido la misma desde que su madre se marchó.

La puerta se vuelve a abrir: Nitasha camina con paso firme hasta Stan.

—¡Ésta es una foto suya, por si te mueres por verla! —exclama.

Stan recibe la fotografía que muestra a una mujer delgada dando un salto de *ballet* mientras su pelo y su vestido vuelan en el viento.

—Es muy bonita —dice Stan.

—¡Bonita! —bufa Nitasha y arrebata la fotografía de las manos de Stan—. ¡A ver! Dámela antes de que la arruines.

Se va de vuelta al remolque azotando los pies y cierra la puerta de golpe.

Dostoievski se encoge de hombros.

La puerta se abre una vez más.

—¡Claro que era bonita! —grita Nitasha.

La puerta se azota una vez más.

Stan siente que alguien lo tira de la manga. Hay un niño pequeño parado junto a él.

—¿Me deja pescar un pato, señor, por favor? —pregunta el niño.

—¡Claro que lo era! —grita Nitasha desde el otro lado de la puerta cerrada.

Diecinueve

A Stan le gusta esa primera mañana en el Pesca-un-pato. Todo es tan distinto a la casa repleta y loca de la calle Embarcadero. Pequeños grupos y familias cruzan el terreno, entre los puestos y los juegos mecánicos. La música suena fuerte desde el ratón loco. De la montaña rusa salen gritos que truenan en el cielo. El pequeño niño es el primero en llegar al puesto. Stan lleva una bolsa para el dinero amarrada en la cintura. Pronto está llena de billetes y pesa de tantas monedas que tiene. Stan les ayuda a los niños con las cañas de pescar y los anzuelos. Un par de veces tiene que guiar las pequeñas manos mientras firman el certificado. Los mira a los ojos, les pide que prometan que de verdad van a cuidar los peces. Sólo una persona se queja: el padre de una pequeña niña vestida de rojo y verde. La niña pesca un pato en la palangana y grita de júbilo, Stan baja un pez y le pide que firme por favor.

—¿Qué tiene que firmar? —dice el hombre.

—Un certificado —responde Stan.

El hombre y la niña lo leen. La niña va a tomar el lápiz pero el hombre arruga la cara.

—No lo hagas —dice.

—Pero lo tiene que hacer —dice Stan.

—¿Quién dice? —pregunta el hombre.

—Yo —afirma Stan.

—Y ¿por qué?

—Porque… porque…

Stan comienza a temblar. El tipo tiene el cuello muy ancho y una gruesa cadena de plata alrededor. En los nudillos tiene tatuadas las palabras AMOR y ODIO. Mira a Stan fijamente con los ojos grandes y profundos. Tiene unos dedos enormes con los que le da a Stan en el pecho. Tiene la voz grave y hosca, y gruñe.

—No firmaremos nada que no tengamos que firmar.

—Pero… —murmura Stan.

—¿Estás insinuando que yo y mi Minnie somos crueles? —ruge el hombre.

—No —dice Stan—, pero…

—Más te vale —dice el tipo—. Dale el pez.

Dostoievski está recargado contra el remolque, viendo todo. No se mueve. Stan lo mira y luego mira al hombre. En la mano tiene la bolsa de plástico con el pez. El tipo se acerca, imponente. Stan no le llega ni al pecho.

—Que le des el pez.

Stan respira profundo. Levanta la bolsa. El pez dibuja en el agua pequeños círculos y ochos mientras nada.

—Es que…

—Es que ¿qué? —dice el hombre—. Es sólo un estúpido pez. ¿Qué tiene de especial un estúpido pez?

—Es tan pequeñito… —dice Stan.

—Ay, pobre pececito.

—Es tan pequeñito y nosotros somos tan grandes —dice Stan—. Es muy fácil lastimarlo. Es…

El hombre suspira. Maldice. Stan levanta la bolsa más alto. La luz del sol atraviesa la bolsa y el pez brilla y resplandece.

Minnie da un paso al frente.

—Mira qué lindo es —le dice Stan.

Minnie lo observa como si estuviera viendo un pez por primera ocasión.

—Mira sus escamas —indica Stan—. Mira la cola y las aletas que parecen plumas. Mira cómo se mueve para nadar. Miras sus ojitos…

—Es hermoso —dice Minnie maravillada—. Mira, papá, parece que dice O O O O. Y es tan pequeñito y tan delicado y tan…

Incluso el hombre, al oír a su hija y al ver dentro de la bolsa de plástico, parece hechizado, aunque sólo por un segundo.

—Es precioso —agrega Minnie—. Firmemos, papá, y llevémoslo a casa.

El hombre maldice entre dientes. Suspira.

—Está bien —gruñe al fin—. Está bien. Firma y vámonos de una vez.

Minnie firma el certificado: "Minnie". Le sonríe a Stan, quien le sonríe de vuelta.

—Muchas gracias —dice él—. Vuelve pronto e inténtalo de nuevo.

Minnie se marcha feliz con su papá, susurrándole algo al pequeño pez.

—Bien hecho —dice Dostoievski mientras se acerca desde el remolque—. Tu primer cliente incómodo y lo manejaste muy bien. Te toparás con millones más.

Se frota las manos, toma la bolsa de la cintura de Stan y comienza a contar billetes y monedas.

—Lo estás haciendo muy bien. Eres muy bueno en esto, como te dije.

Llegan más clientes. Muy pronto sólo queda un pez colgando del puesto dentro de una bolsa de plástico y otro par más nadando en la pecera junto al pez número trece. Stan está triste de que tantos se hayan ido, pero también le da gusto. Ha estado concibiendo lo que él considera un plan perfecto.

—Señor Dostoievski —dice.

—Dime, muchacho.

—Estaba pensando que quizá, ahora que se han terminado casi todos los peces…

—Ajá…

—Bueno, pues pensé que quizá podríamos dar otro tipo de premios.

—¿Otro tipo de premios?

—Sí. Algo como muñecos de peluche o bolsas de dulces o…

—¿Muñecos de peluche o bolsas de dulces? —dice Dostoievski, mira a Stan lleno de asombro y niega con la cabeza—. Tienes mucho que aprender. Es una tradición, muchacho. Si pescas un pato de plástico en el puesto de Dostoievski te llevas un pez. ¡Así es y así ha sido y así será siempre!

—Pero, señor Dostoievski, ya casi no hay peces.

—¡Pues compraremos más!

Stan levanta las manos.

—¿Pero en dónde, señor Dostoievski?

—¡Pues con el proveedor de peces dorados!

Stan se queda en blanco.

—¿Cuál proveedor de peces dorados? —pregunta.

—¡Ay, querido muchacho! Pues el proveedor de peces dorados de la feria!

Stan lo mira.

—Escucha, Stan. Todas la ferias tienen uno. ¿De dónde crees que saco los peces? ¿De los árboles?

—No lo sé —admite Stan.

—Exacto. Tienes mucho que aprender. Pero supongo que así es como tiene que ser.

Dostoievski saca dinero de la bolsa de Stan y le da un puñado de monedas.

—Encuéntralo y compra más peces.

Stan mira alrededor del terreno repleto de gente.

—¿Dónde está? —pregunta.

—No tengo idea. Por ahí. Encontrarlo será parte de tu entrenamiento.

—Y ¿cuántos compro?

—Medio cardumen.

—¿Medio cardumen? Pero ¿cuántos peces tiene un cardumen?

—Yo qué sé. Parece que depende de cómo se sientan los peces ese día. Hay cardúmenes pequeños y cardúmenes medianos y cardúmenes tan grandes como el mar. Dile que vas de parte de Dostoievski, y te ayudará.

—Y ¿cuánto tengo que pagar?

Dostoievski se encoge de hombros.

—Haz eso mismo. Dile que son para mí y te dará un precio justo. —Se pone las manos en la cintura—. Ya son suficientes preguntas, muchacho. Anda, vete.

—No va a regalar al pez número trece, ¿verdad? —pregunta Stan.

—No, Stan.

—¿Me lo promete?

—¿Quieres que firme un certificado?

Stan niega con la cabeza.

—Anda ya, vete —insiste Dostoievski.

—Está bien —dice Stan y se da la vuelta.

—¡Muñecos de peluche! —murmura Dostoievski—. ¡Malditas bolsas de dulces!

Veinte

Mientras camina por la feria, Stan tiene la extraña sensación de que alguien lo observa. Mira a su alrededor pero no ve nada más que los niños, los perros, las familias y los marchantes de siempre. De vez en cuando alguien lo llama y lo saluda con la mano. Él saluda de vuelta. Sigue caminando pero sigue teniendo esa sensación, como si hubiera un par de ojos que lo eligieron de entre la muchedumbre de la feria, y que lo siguen. No le da miedo. Sólo es un poco… raro.

Busca alguna señal del proveedor de peces. Una mujer afuera de la casa embrujada se quita unos colmillos falsos y le dice que parece perdido. Él le comenta lo que está buscando.

—¿Peces? —pregunta ella—. No puedo ayudarte. En el negocio de los fantasmas y los espantos no necesitamos peces. A menos que estén muertos, claro.

Se vuelve a poner los colmillos, levanta una mano en forma de garra, aúlla como lobo y simula que lo persigue.

Stan sigue caminando.

—Soy Tickle Peter —le dice un hombre que de pronto camina junto a él.

—Yo soy Stan. ¿Usted sabe dónde está el proveedor de peces?

—Hazme reír y quizá te lo diga.

Stan se detiene y lo mira. Peter lleva pantalones de leopardo y tirantes plateados. Tiene puesto un sombrero puntiagudo que dice: "HAZ REÍR A TICKLE PETER Y GÁNATE CIEN LIBRAS". Le presenta a Stan una bolsa llena de plumas.

—Sólo cuesta una libra. Usa una de estas plumas, o un palito o una hoja, o lo que quieras. Hazme cosquillas, hazme reír y te puedes llevar cien libras. Entonces te diré lo que sé sobre la persona que buscas.

Tickle Peter se queda callado. Luce apesadumbrado. Espera que Stan le responda. Stan piensa en que cuesta una libra. ¿Será correcto gastársela para conseguir información?

—O puedes contarme un chiste, si te sabes alguno —dice Peter y suspira—. No me he reído en veinte años. Anda, Stan. Hazme reír.

Stan mete la mano al bolsillo, saca una libra y se la entrega a Peter.

—¿Por qué se cayó el chango del árbol? —pregunta.

Es el único chiste que se sabe. Lo recuerda de unos de sus lejanos días en la escuela; se rio muchísimo cuando lo oyó.

—No lo sé —dice Tickle Peter y luce aún más apesadumbrado. Suspira—. ¿Por qué se cayó el chango del árbol?

—¡Porque estaba muerto! —exclama Stan.

Peter suspira de nuevo.

—¿Eso es todo? —pregunta.

—Sí —dice Stan—. ¿Ya se lo sabía?

—Lo había oído un par de veces. Mira, me siento generoso: cuéntame otro.

Stan baja la mirada.

—Ya no te sabes otro, ¿verdad?

Stan niega con la cabeza.

—Entonces intenta hacerme cosquillas —dice Peter.

Vuelve a mostrarle la bolsa de plumas. Stan toma una larga y colorida. Peter levanta los brazos y Stan le cosquillea las axilas, detrás de las rodillas, el pecho, las piernas y el cuello. Peter no se mueve. Su cara luce aún más desolada.

—Ya es suficiente —dice—. Pensé que tú podrías hacerlo, Stan, pero está claro que no. Qué decepción.

Stan guarda la pluma en la bolsa.

—Así me gano la vida —explica Peter—. He hecho una fortuna de tantas libras que me han dado durante años. Pero regresaría hasta el último centavo si pudiera reír. —Se encoge de hombros y se da la vuelta—. Quizá te vuelva a ver por ahí, Stan.

—De todas formas podría decirme dónde está el proveedor de peces —le dice Stan.

Peter se detiene.

—Podría.

—Vamos. ¿Por favor?

—Está bien. No sé absolutamente nada acerca de ningún proveedor de peces.

—Pero usted dijo que…

—Te dije que te diría lo que supiera sobre la persona que buscas. Y no sé nada. —Tickle Peter observa a Stan—. ¿Ves lo que pasa cuando no te ríes en más de veinte años? ¿Cuando te ganas la vida sobornando? Te vuelves cruel y amargado, Stan, eso es lo que pasa. Adiós.

Stan patea el pasto. Escupe. Da varias vueltas en su lugar y de pronto, ahí justo detrás de él, donde antes hubo un espacio vacío, hay un letrero pegado a un palo clavado en la tierra.

INSTRUCCIONES PARA ENCONTRAR

AL PROVEEDOR DE PECES

Pasa los carritos chocones, más allá
de las tragamonedas, la primera
a la derecha en el ratón loco,
pasando la carpa de las luchas.
Ahí debes gritar con fuerza:
"¡Aplástalo, THUNDERER!" Después
come un pedazo de jabalí salvaje en
la cocina del javalí salvaje y dirígete
a la carpa que se parece al mundo.

Silba la canción "Es un largo camino
a Tipperary" y estarás donde deseas.

Veintiuno

Stan sigue las instrucciones. Lo llevan al corazón mismo de la feria. La carpa de las luchas tiene una entrada en forma de arco y pinturas de antiguos luchadores con máscaras y capas que posan con los brazos en la cintura o con los brazos levantados para mostrar los músculos. Aparecen forcejeando unos con otros, lanzados por el aire con los pies por delante. Se oyen los rugidos de la multitud que está escondida dentro de la carpa. Se oyen gritos de horror y de asombro. Hay un silencio repentino que Stan aprovecha para gritar: "¡Aplástalo, Thunderer!" De pronto hay un coro de gritos de júbilo y aplausos, y obviamente alguien ha obtenido la victoria. Stan sigue caminando y se encuentra en La Cocina del Jabalí Salvaje. Un hombre bigotón que parece un jabalí se agacha desde el mostrador y le entrega un pedazo de carne.

—Prueba un pedazo, hijo —gruñe.

Stan acepta el pedazo de carne que el hombre le ofrece con una peluda mano. Mastica la deliciosa carne y se chupa el jugo de los labios.

—¿Está buena? —gruñe el hombre-jabalí.

—Sí —responde Stan.

—¿Qué es lo que buscas?

—Una carpa.

El hombre-jabalí gruñe.

—¿Has oído la historia del hombre que se comió al jabalí? —pregunta.

Stan niega con la cabeza.

—Terminó convertido en jabalí. ¿Has oído la historia del jabalí que se comió un hombre?

—¿Terminó convertido en hombre?

—Quizá. Quizá así debió haber sido. Eso tendría sentido. Pero no, lo persiguieron y lo cazaron.

—Qué lastima —dice Stan pensando en la familia del jabalí.

—¿Te lo parece? —pregunta el hombre-jabalí—. Lo cocinaron muy rico —agrega y señala la carne en la mano de Stan—, como tú mismo podrás atestiguar. Tengo otra: ¿has oído la historia de la carpa que se parecía al mundo?

Stan niega con la cabeza.

—Terminó por no parecer una carpa.

Stan se come lo que le queda de carne y se chupa los dedos.

—No entiendo qué quiere decir —afirma.

—Quiere decir que a estas alturas ya deberías estar silbando.

Stan comienza a silbar "Es un largo camino hasta Tipperary"

y de entre los árboles aparece un hombre que llama a Stan con la mano.

—¿Usted es el proveedor de peces? —pregunta Stan.

—¿Tengo cara de serlo? —pregunta el hombre.

—No lo sé —responde Stan.

—¿De qué tengo cara?

—No sé. De hombre.

—¿De hombre? Muy bien. Ya puedes dejar de silbar esa horrible canción. Ven conmigo.

El hombre se acerca a un árbol y lo atrae hacia sí. Stan se da cuenta de que en realidad los árboles son las lonas de una carpa y que tienen pintadas imágenes de árboles y del cielo y de la tierra.

—¡Pensé que eran árboles! —exclama Stan.

A sus espaldas, el hombre gruñe y resopla.

—Por supuesto —dice el hombre que camina a su lado—. Pensaste que eran árboles. Pensaste que era el mundo. Pero no, sólo es una carpa. Ahora date prisa y entra. Por cierto, soy el señor Smith.

—Yo soy Stan.

—¡Vamos! —dice el señor Smith.

Veintidós

El interior de la carpa es como una caverna. En ella crecen árboles verdaderos; Stan los toca y comprueba que son reales. La luz es tenue, como la del amanecer. El señor Smith camina con brío y apura a Stan. Pasan frente a unas jaulas gigantes con los barrotes oxidados.

—Elefantes —dice el señor Smith cuando ve a Stan observándolas.

—¿Elefantes? —pregunta Stan.

—En esas jaulas había elefantes. Y leones y tigres y cebras y osos. Pero eso fue en los viejos tiempos, cuando teníamos de todo. Eso terminó y sólo nos quedan peces dorados y algunas especialidades. Por favor, date prisa, ten cuidado de ver por dónde pisas. Se rumora que se escapó un par de escorpiones.

Stan mira horrorizado el suelo por el que camina.

—¿Escorpiones? ¿Por qué tiene *escorpiones?* —pregunta.

—Para el espectáculo de los escorpiones, desde luego. Y si oyes un aleteo, agáchate. Es el águila. Le gusta aterrizar sobre las cabezas y sus garras son muy largas y muy, *muy* afiladas.

Stan mira al piso, luego mira al cielo. Se lleva las manos a la cabeza y su corazón retumba y tamborilea.

—¡Válgame! —exclama el señor Smith—. Se nota que no estás acostumbrado a esto. ¿Qué demonios haces aquí?

Stan toma aire y mira al hombre con los ojos muy abiertos. ¿Qué demonios hace ahí? ¿Cómo diantres fue a dar a ese lugar? Lo único que quiere es gritar:

¡SÓLO SOY UN NIÑO NORMAL!
¡NO QUIERO ESTAR EN UNA CARPA
QUE SE PARECE AL MUNDO,
COMPRANDO MEDIO
CARDUMEN DE PECES DORADOS!
¡NO QUIERO TEMER A LOS ESCORPIONES
NI A LAS ÁGUILAS!
¡QUIERO VOLVER AL PRINCIPIO, CUANDO
TENÍA UNA VIDA NORMAL Y UNA FAMILIA
NORMAL Y YO ERA SIMPLEMENTE EL
PEQUEÑO STANLEY POTTS!

Los gritos dentro de su cabeza son tan fuertes que Stan está seguro de que el señor Smith los puede oír.

—¿Y entonces? —dice el señor Smith.

Stan suspira.

—Me mandó Wilfred Dostoievski —responde en voz baja.

El señor Smith asiente.

—Naturalmente —dice—. Ahora sígueme. ¡Ay! ¡Cuidado! ¡Agáchate!

Stan se lanza al suelo y se cubre la cabeza con los brazos. No pasa nada. Oye una risa y levanta la mirada.

—Era una pequeña broma —agrega el señor Smith—. Siempre funciona. Ahora levántate. El proveedor de peces dorados te está esperando.

Y sigue caminando.

Veintitrés

El proveedor de peces dorados se encuentra sentado frente a un escritorio rodeado de estanques de plástico de diversos tamaños. Sobre el hombro tiene una red de pescar. Sonríe y llama a Stan con la mano para que se acerque.

—Me encontraste. Bien hecho. Ya tienes la mitad de la batalla ganada. Soy Seabrook. ¿Cómo te llamas y cuál es tu veneno?

—¿*Veneno?* —pregunta Stan.

—Disculpa. Tú eres nuevo, ¿verdad? La tradición de Seabrook es que tomemos algo y tengamos un poco de cháchara y después nos dediquemos al negocio. Te puedo ofrecer agua natural, agua con gas o una soda oscura.

Stan se da cuenta de pronto de que está muy sediento.

—¿De qué es la soda oscura? —pregunta.

Seabrook se toca la nariz y guiña.

—De algo oscuro —dice—, algo secreto y delicioso.

Abre un cajón del escritorio, saca una botella rechoncha llena de un líquido negro y se la entrega a Stan.

—Hay quien dice que te ayuda a sumar mejor —dice Seabrook—. Hay quien dice también que te ayuda a correr más rápido. —Arruga la nariz—. Incluso se dice que ayuda a tomar soda oscura mucho mejor. No, yo tampoco sé a qué se refieren con eso. ¿Cómo me dijiste que te llamabas?

—Stan.

Le da un buen trago a la soda oscura. Seabrook tiene razón: es delicioso.

—Ahora, demos paso a la cháchara —dice Seabrook—. Es un día muy lindo, ¿verdad, Stan?

—Sí lo es —responde Stan.

—Aunque el miércoles hizo un poco de frío —agrega Seabrook.

—¿Ah, sí? —dice Stan.

—Sí. Pero no como el frente frío aquel de marzo. Y los chicos de hoy, ¿verdad? Es decir, la cosa es seria. Cada vez que prendes la tele, ahí hay otro. El mundo se está echando a perder. ¡Y la economía! ¡La economía! Es decir, ¿a dónde vamos a parar?

Stan toma otro trago de refresco oscuro: un sabor extraño, como de moras y sardinas al mismo tiempo.

—No lo sé —admite.

—Yo tampoco, Stan. Es decir, la otra noche se lo comentaba a Macintosh, el que está casado con la chica esa de Pembroke, la que quedó un poco coja después de que se cayó de la bicicleta cuando tenía tres años. Le decía, ¿qué será de nosotros? ¿A dónde vamos a *parar*? No tenía idea, por supuesto, lo cual no es sorprendente cuando piensas por todo lo que ha pasado con su pobre perro. Pero bueno, lo que quiero decir es que no hay respuesta, ¿verdad? Digo, los escuchas hablar y suenan como si supieran de lo que están hablando y lo que van a hacer al respecto, pero uno sabe que no tienen idea. O sea, sólo hablan por hablar. ¿Sabes a qué me refiero? ¡Y la basura, Stan! Ya no es como en nuestros tiempos, ¿cierto? Yo culpo a los maestros. Vamos hacia la ruina. Y en efecto, sí es un largo camino hasta Tipperary, eso es lo que la gente no entiende. Pero tienes que verle el lado positivo a las cosas, ¿no? Hay una luz al final del… En fin, me ha encantado platicar contigo, Stan, pero me temo que no tengo todo el día. Y, al final de cuentas, ¿qué tiene todo eso que ver con el precio del pescado?

—No lo sé, señor Seabrook.

—¡Exacto! Bien. ¿Estás buscando A, B, C o D? —pregunta Seabrook y observa la expresión vacía de Stan—. ¿Quieres grandes dorados, los mejorcitos, no tan malos, o pequeños flacuchos?

—Puede ver que Stan sigue sin entender nada—. Te diré lo que haremos. Ven a ver los estanques y te lo explico.

Seabrook dirige a Stan hasta los estanques, donde le explica que los grandes dorados en el estanque A son los mejores de todos y los más caros, y que los pequeños flacuchos en el estanque D son los más escuálidos y los más baratos. Stan los observa. A él todos le parecen hermosos, los curvilíneos grandes dorados y los temblorosos pequeños flacuchos y todos los intermedios.

—Son hermosos —dice Stan—. Absolutamente todos.

Como si lo oyeran, varios peces se asoman a la superficie y miran a Stan.

—Estoy impresionado —dice Seabrook—. Tienes el toque mágico. Si quieres te puedo hacer una mezcla. ¿Cuántos quieres?

—Medio cardumen.

—¿Para quién son?

—Para Wilfred Dostoievski.

—¡Ajá! —exclama Seabrook—. Dostoievski es un viejo cliente —agrega, regresa al escritorio y abre una carpeta—. Justo lo que pensé —dice—. Wilfred Dostoievski acostumbra llevarse los pequeños flacuchos.

Stan asiente. Ya lo había adivinado. Los trece peces que salvó el día de su cumpleaños obviamente pertenecían al estanque D.

—Pero —comenta Seabrook— he oído que ha cambiado mucho.

—¿Que ha cambiado mucho?

—Las noticias vuelan en la feria, Stan. Se rumora que se topó con un muchacho que ha sido una gran influencia. —Cierra la carpeta y observa a Stan—. ¿Sí ha cambiado mucho, Stan?

—No lo sé. Yo no lo conocía antes.

—Antes de que se topara *contigo*, quieres decir.

—No lo sé.

Seabrook sonríe. Guiña un ojo.

—Es un placer y un honor tenerte aquí, Stan —dice—. ¿Sabes qué? Te daré medio cardumen mezclado. ¿Está bien?

—Sí —dice Stan.

Seabrook toma su red, la sumerge en los cuatro estanques, saca peces de cada uno y los deposita con cuidado en un recipiente de plástico lleno de agua clara. Los peces se agrupan mientras se acostumbran a su nuevo espacio, y luego Stan y Seabrook observan cómo vuelven a separarse en grupos de Aes, Bes, Ces y Des.

—Es curioso que eso siempre pase —dice Seabrook y sonríe—. Mira los grandes dorados. ¡Mira qué espléndidos se ven ahí! ¿No te parece, Stan?

—Sí.

—Pero ¿cuáles son tus favoritos en realidad?

Stan observa el agua.

—Los chiquitos —dice después de un momento.

Seabrook sonríe de nuevo.

—Eso pensé. Quizá es porque tú vienes del mismo estanque, ¿no, Stan?

Seabrook sonríe de nuevo. Stan busca en su bolsillo y saca algo de dinero.

—¿Cuánto cuestan? —pregunta.

Seabrook toma algunas monedas de su mano.

—Con esto es suficiente —dice—. Ahora, date la vuelta y te amarraré esto a la espalda.

Levanta el recipiente de plástico, que tiene un par de asas colgantes, pone las asas alrededor de los hombros de Stan. El recipiente es pesado pero se acomoda con facilidad sobre la espalda del chico. Stan puede sentirlo pegado a él. Le parece que puede sentir las vibraciones de los peces al nadar.

—¿Estás cómodo? —pregunta Seabrook—. Listo, pues. Anda ya, Stan —dice y luego le toca el hombro—. ¿Sabes qué? Los pequeñitos suelen ser los mejores de todos.

Stan se despide. Se aleja y pasa frente a las jaulas vacías y oxidadas. Ya ha olvidado a los escorpiones y al águila. Siente la vibración del nado de los peces sobre su espalda. El recipiente de plástico brilla y resplandece.

Veinticuatro

Stan no se da cuenta cuando atraviesa la carpa y de pronto está afuera, de nuevo en la feria. Camina hacia su puesto y pasa por La Cocina del Jabalí Salvaje hacia Dostoievski. Tras él se agolpan algunos niños que lo siguen. Señalan el recipiente de plástico y tratan de tocar los peces. Le preguntan a Stan si les regalaría uno y Stan se ríe y les dice que tendrán que ir al Pesca-un-pato de Dostoievski y ganárselo.

—¡Un premio en cada turno en el puesto de Dostoievski! —les dice muy complacido de anunciar el juego tan bien.

Los niños dicen que irán y Stan observa lo felices y amigables que son. A cada paso que da se siente más en casa, pero de nuevo tiene la sensación de que está siendo observado. Se detiene cerca de la carpa de las luchas y mira a su alrededor. Junto a la carpa hay un hombre de pie bajo la sombra.

Los niños se sorprenden.

—¡Es Pancho! —susurra uno.

—No es. ¡No puede ser!

—Sí es. Yo lo vi el año pasado en Marrakech.

—¡Es Pancho!

—¡Es Pancho Pirelli!

Los niños bajan la voz y Stan percibe su nerviosismo y su emoción cuando Pancho sale de la sombra y se les acerca. Tiene la piel y los ojos oscuros. Está vestido de azul. Camina directamente hacia Stan.

—Tú eres Stan —dice. Su voz suena suave y extranjera y acuosa—. Te he estado esperando, Stan. Todos estos años supe que había alguien como tú y ahora sé dónde te encuentras.

Estira la mano. Stan la estrecha. Es extraño, pero siente como si conociera a Pancho desde hace mucho tiempo.

—Te he estado observando —dice Pancho—. Eres el muchacho de los peces dorados. ¿Vendrás a ver mi espectáculo?

—Sí, pero...

—Es fácil de encontrar, Stan. Pregúntale a quien sea. Ven mañana, observa mi espectáculo y después hablaremos.

Se da la vuelta y se marcha. Los niños respiran de nuevo.

—Pancho Pirelli —murmura uno—. ¡Vi a Pancho Pirelli!

—¿Por qué te ha estado observando, Stan?

—No lo sé —responde Stan—. No sé nada.

—¡Es el mejor!

—Pensamos que había muerto.

—Mi papá dijo que se lo habían comido.

—¿Comido? —pregunta Stan.

—Sí. Pero es obvio que no fue así. Quizá sólo lo mordieron un poco.

—Dicen que se está volviendo viejo y que se lo van a comer de verdad si no se cuida.

Stan tiene muchas preguntas, pero los niños se dispersan corriendo para contarles a sus padres y amigos que estuvieron junto al gran Pancho Pirelli.

Veinticinco

Dostoievski está encantado con los peces. Asegura que son una selección gloriosa y contiene la respiración mientras lo dice.

—¿Oíste lo que dije? —pregunta—. ¡Una selección gloriosa! No habrías oído a Dostoievski decir algo así acerca de un montón de peces hace tan sólo unos días. ¿Verdad, Stan?

Stan se encoge de hombros.

—No —admite.

—Eres muy extraño —dice Dostoievski observando la cara de Stan.

—¿Yo? —dice Stan.

—Sí, tú. Tienes una extraña influencia sobre mí, joven Stan.

Abre una botella de cerveza y le da un trago. El cielo brilla como un horno encendido y luego oscurece, oscurece. Dostoievski dice que a los puestos como el de Pesca-un-pato no les va muy bien cuando cae la noche. Son demasiado insulsos para ella. La gente quiere luces brillantes y la emoción del ratón loco. Quieren gritar y aullar en la montaña rusa. Quieren que los asusten en la casa embrujada y que los aterroricen en el muro de la muerte. Quieren dar vueltas y caer al vacío y salir disparados. Quieren retacarse de hamburguesas grasosas y salsas picantes. Dostoievski se sienta en un escalón del remolque. Stan se sienta junto a él mientras la luna aparece sobre la feria y las luces y la música y las voces comienzan a llenar la noche.

Stan le dice que ha visto a Pancho Pirelli.

—Así que es verdad —murmura Dostoievski—. Ha vuelto.

—¿Qué hace en su espectáculo? —pregunta Stan, pero Dostoievski niega con la cabeza.

—Será mejor que lo veas tú mismo, querido Stan. Puedes ir mañana.

—Me habló, señor Dostoievski.

—Es un gran honor, Stan.

—Dijo que me ha estado esperando.

—¿Eso dijo? —Dostoievski alarga la mano y alborota el pelo de Stan—. Yo sentí eso mismo.

—¿Cuándo?

—Cuando te conocí, Stan. Lo sentí desde el momento en que te vi limpiando los patos y salvando los peces junto al río; como si te hubieran enviado a mí ese día. Como si fueras especial.

Sonríe.

—O quizá sólo me estoy volviendo loco, ¿no?

Dostoievski sonríe de nuevo:

—Pero como te decía —continúa—, eres muy extraño.

Siguieron sentados en silencio un rato más, mirando la luna.

—Éstos son los placeres de la vida del viajero —comenta Dostoievski.

—¿Cuáles? —pregunta Stan.

—Las cosas sencillas como ésta, joven Stan. Como sentarse en un escalón del remolque bajo la luz de la hermosa luna. Dicen que te vuelve loco, ¿sabes? Dicen que no debes dejar que la luna brille demasiado tiempo sobre tu cabeza.

—Eso he oído —dice Stan.

—¿Lo crees? —pregunta Dostoievski.

Stan se encoge de hombros. En realidad no sabe qué es lo que cree.

—Y otros dicen que la luz de la luna es muy buena —agrega Dostoievski—. Que cada uno de nosotros necesita una dosis de locura. ¿Crees en eso, joven Stan?

Stan piensa en ello, piensa en el mundo, piensa en él y en las extrañas cosas que ha vivido, las extrañas cosas que ha visto. Mira al cielo y al universo. Se imagina que sigue hasta el infinito, hasta las estrellas y más allá de las estrellas y mucho más allá de las estrellas, y sabe que lo que piensa nunca terminará.

—¿Y bien? —susurra Dostoievski—. ¿Todos necesitamos una dosis de locura?

Un perro ladra en la distancia. Una mujer canta una dulce canción que viaja en el viento a pesar del escándalo de la feria y los alaridos de los asistentes.

—Quizá ya tenemos una dosis de locura dentro —dice Stan—. Aunque no lo queramos.

Dostoievski asiente. Mira a Stan con cariño y respeto en los ojos.

—Eso es muy sabio —dice.

Y ambos se relajan y sonríen y dejan que la locura de la luna escurra sobre sus cabezas.

Veintiséis

En lo más profundo de la noche Stan yace en su cama pero está completamente despierto. Más allá de las ventanas del remolque, las luces de la feria titilan y destellan, y la luna no ha abandonado el cielo. La pecera está junto a su cama. Titila y destella, también, llena con los peces del proveedor de peces dorados. Stan siente la emoción y la felicidad del pez número trece, que nada entre los peces nuevos. "Bienvenidos", escucha. "Bienvenidos, compañeros míos." Oye algo más, algo mucho más triste, un resoplido, una respiración entrecortada cerca de él. Escucha. Viene desde dentro del remolque.

—Nitasha —susurra—. ¿Nitasha?

No hay respuesta, pero los resoplidos continúan. Se arrastra desde su estrecho camastro hasta la parte trasera de la caravana, donde está la cama de Nitasha, detrás de una mampara de aglomerado. Toca ligeramente.

—Nitasha. ¿Estás bien, Nitasha?

—Lárgate.

Los resoplidos comienzan de nuevo. Y luego algunos lloriqueos.

—Nitasha.

—¡Lárgate! ¿A ti qué te importa?

—¿Puedo pasar?

No hay respuesta. Empuja la mampara y se abre. Se arrastra dentro del pequeño compartimento.

—¿Qué pasa? —susurra.

Nitasha jala las cobijas sobre su cabeza, las baja un poco hasta que sólo su nariz y ojos son visibles.

—Sí *era* hermosa —susurra.

—Seguro que sí.

—Pero no me quería.

—Estoy seguro de que sí.

—Si me quería, ¿por qué se fue?

—No lo sé —susurra Stan, pero sabe que también dejó gente a la que quiere.

Nitasha baja las cobijas un poco más. Stan se da cuenta de que sus ojos lo observan.

—Todo es horrible —dice ella.

—No lo es —responde él—, o al menos no tiene que serlo.

Él desvía la mirada. Es inútil. No sabe nada. ¿Cómo puede ayudar a Nitasha si él mismo no es más que un niño?

—Tienes a tu papá —dice por fin.

—¿Él? No me soporta. Te quiere a ti más que a *mí*.

—Claro que no —dice Stan.

—Desearía que *tú* fueras su hijo y no *yo*.

—Claro que no.

—Y tiene razón. Yo era agradable. Ahora soy floja y fea y gorda e inútil y buena para nada y para nadie. Ahora déjame sola.

—Quizá deberías empezar a hacer cosas —sugiere Stan—. Podrías ayudar con el puesto.

—¡Ayudar con el puesto! Yo tendré mi propio puesto un día y no lo necesitaré a él y no la necesitaré a ella y no te necesitaré a ti y no necesitaré a nadie nunca.

—¿Qué quieres decir con que tendrás tu propio puesto?

—Me voy a volver más y más fea, y más y más desagradable, y más y más gorda, y me voy a dejar crecer la barba y construiré un puesto y seré la mujer barbuda más fea y más gorda que hayan visto jamás.

—¡Ay, Nitasha! —dice Stan.

—¿"Ay, Nitasha" *qué*?

—Ay, Nitasha, tú podrías ser encantadora. Anoche, cerca del fuego te veías muy…

—Ése es mi plan —lo interrumpe Nitasha—. Seré un fenómeno, haré una fortuna, no necesitaré a nadie.

—¡Ay, Nitasha!

—"Ay, Nitasha" nada. Ahora vete.

Ella vuelve a cubrir su cabeza con las cobijas. Stan se da la vuelta para marcharse y regresa a su camastro.

—Mañana voy a ver a Pancho Pirelli —le comenta sobre su hombro.

—¡Qué bárbaro! —responde ella, burlona desde debajo de las cobijas.

—Podrías venir conmigo.

—¿Para que la gente pueda ver que llevas contigo al fenómeno?

Stan duda.

—No —dice—. Para que la gente pueda ver que llevo conmigo a alguien que es como mi hermana.

Nitasha baja las cobijas y lo mira fijamente.

—Estás loco —dice—. Deja de decir estupideces. Vete a dormir.

Stan gatea por el suelo del remolque y se encarama en su angosto camastro. Se asoma para ver a Dostoievski. Sus ojos están abiertos y las lágrimas los hacen brillar bajo la luz de la luna. Oye un sollozo, luego silencio y mucho después oye un susurro de Nitasha:

—¿Lo dijiste en serio, Stan?

—¿Que si dije en serio qué?

—Lo de que soy como tu hermana.

—Claro que sí —dice Stan.

De nuevo se escucha silencio, salvo por los gritos y las risas y los aullidos desde la feria.

Veintisiete

Cuando despierta, Stan está emocionado. Es casi como si fuera su cumpleaños otra vez. La mañana es luminosa y brillante. Ayuda a Dostoievski a montar el puesto, a acomodar los patos en el agua, a colgar las bolsas de plástico con los peces dentro. Un par de veces se acerca a la puerta del remolque y llama a Nitasha, pero no obtiene más respuesta que un par de gruñidos.

Dostoievski pasa el brazo sobre los hombros de Stan.

—Déjala, hijo —dice—. Así es ella. Anda, vete solo.

Stan se encoge de hombros. Suspira. Está a punto de marcharse solo, justo como lo hizo el día de su cumpleaños, pero la puerta del remolque se abre y aparece Nitasha, sonrosada y tímida. Lleva un vestido floreado, la cara lavada y el pelo cepillado.

—¡Nitasha! —exclama su padre asombrado.

Ella no lo mira.

—Te ves hermosa, cariño —dice.

Rebusca en su bolsillo, encuentra algo de dinero y lo pone en la mano de la niña. Stan puede ver que hay lágrimas en sus ojos.

—Ten, cariño —dice Dostoievski—. Que tengas un…

—Un buen día —susurra Stan.

—Un buen día —repite Dostoievski.

—Di gracias —le susurra Stan a Nitasha.

—Gracias —murmura y de pronto levanta la mirada—. Gracias, papá.

Stan está muy contento y orgulloso. Nitasha camina a su lado y se adentran en el corazón de la feria. Pasan frente a los carritos chocones y la carpa de las luchas. El hombre-jabalí de La Cocina del Jabalí Salvaje les sonríe.

—Te conseguiste una novia, ¿eh? —dice.

Stan no hace caso y dirige la vista hacia los árboles. Es muy extraño. Hoy la carpa luce sólo como una carpa pintada. Las paredes de lona vuelan al viento y los árboles que ayer parecían árboles de verdad hoy son sólo árboles pintados. Los dibujos son torpes, como si los hubiera hecho un niño, y la pintura está resquebrajada y se cae. Hay un anuncio:

CARPA DE SUMINISTROS
PECES DORADOS, ESCORPIONES,
ÁGUILAS Y COSAS ASÍ
PASE USTED
¡CUIDADO POR DÓNDE CAMINA
Y CUIDADO CON LA CABEZA!

—¿Por qué no estás silbando? —gruñe el hombre-jabalí.

Stan no dice nada.

—¿Te comieron la lengua los ratones?

Stan no dice nada.

—¿Has oído la historia del hombre que se comió al jabalí? —pregunta el hombre-jabalí.

—¡Sí! —responde Stan.

—¡Ah! ¿Pero has oído la historia del mundo que se convirtió en una carpa?

—No —dice Stan.

—¡Terminó por parecerse a una!

El hombre-jabalí se muere de risa. La puerta de lona de la carpa se abre y el señor Smith sale apresurado.

—¿Tan pronto volviste por más peces? —pregunta.

—No —responde Stan.

—Estás observando la carpa, ¿verdad?

—Sí —responde Stan.

—Y te parece que luce tal como una carpa, ¿verdad?

—Sí —afirma Stan.

—¡Pues claro! —dice el señor Smith—. Si es una carpa, ¿qué más podría parecer?

—No lo sé —dice Stan.

El señor Smith mira su reloj.

—Escuchen —dice—. La carpa lucía así ayer, porque ayer

era ayer. Algunos días miramos más… intensamente que otros días. ¿Me entienden?

—No —dice Stan.

—No —dice Nitasha.

El señor Smith piensa un poco. Mira su reloj.

—Yo tampoco —dice—. Ahora háganse a un lado. Voy a ver al espléndido Pancho Pirelli y a muchos otros, como podrán ustedes observar.

Stan se da la vuelta y observa que hay mucha gente corriendo en la misma dirección. El señor Smith se apura para alcanzarlos, y Stan y Nitasha también.

El TANQUE DE LAS PIRAÑAS

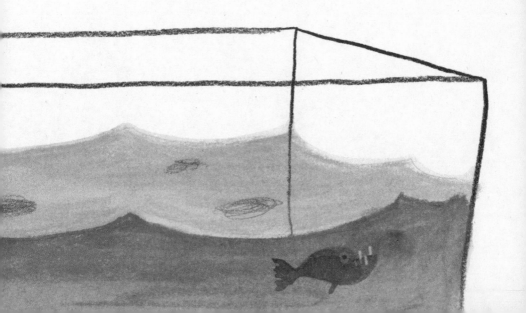

Veintiocho

Aquí estamos, ésta es la escena: hay un pequeño campo abierto en el centro de la feria, un pedacito con pasto en donde la gente se está reuniendo. Traen canastas con comida, termos con café, cajas de cerveza, botellas de vino. Hay algunas fogatas y se distingue el olor de las chuletas que se fríen y las papas que se asan. Los niños juguetean, corren y bailan; los bebés balbucean y lloran.

Nitasha se mantiene cerca de Stan. A través de la multitud se abren camino hacia un remolque azul cubierto con una lona en la que se lee en grandes letras doradas:

¡ PANCHO PIRELLI !

Algunas personas los saludan cuando pasan:

—¡Hola, Stan!

—¿Cómo estás, Nitasha?

Él casi no los oye. Sus ojos están pegados al nombre de Pancho en el remolque. Toma la mano de Nitasha y avanza con ella. Siente como si perteneciera a ese lugar, por lo que tiembla de emoción y de miedo y aprieta la mano de Nitasha.

—Vamos. Por favor, quédate conmigo —le dice en voz baja.

Ella responde que así lo hará. De pronto todo queda en silencio y aparece el mismísimo Pancho, de pie junto al remolque. Lleva una capa azul amarrada al cuello con un lazo dorado y unos gogles en la cabeza. Observa a la multitud, ve a Stan y le sonríe, y esa sonrisa hace que el niño se emocione más. Se sitúa con Nitasha hasta el frente de la multitud, tan cerca de Pancho Pirelli que casi pueden tocarlo.

—Bienvenido —murmura Pancho, pero su mirada se endurece cuando observa a la muchedumbre.

—Mi nombre —dice ante el silencio general— es Pancho Pirelli.

La gente murmura, suspira y sonríe.

Pancho levanta la mano y dice:

—Estoy aquí para tocar los dientes de la muerte por ustedes; para mirar a los ojos de la muerte por ustedes; para bailar con ella por ustedes.

—¡Sí, hazlo, Pancho! —grita alguien. Y otras voces lo secundan: "¡Sí, hazlo, Pancho, sí! ¡Te amamos, Pancho! ¡Eres un chiflado! ¡Estás loco, Pancho! ¡Loco de remate! ¡Eres lo máximo! ¡Hazlo por nosotros, Pancho Pirelli!"

Pancho deja que las voces resuenen unos momentos. Luego jala la lona azul que envuelve el remolque y ésta se abre como si fuera el telón de un escenario. A Stan se le cae la boca al piso porque, detrás de la lona, hay agua transparente. La luz del sol la atraviesa y un cardumen nada con elegancia en el agua.

Todo el remolque es un tanque con agua. ¿Y los peces que están dentro?

—¡Pirañas! —exclama la muchedumbre—. ¡Las peligrosas pirañas de Pancho Pirelli!

Pancho se da la vuelta. Las voces se acallan.

—Éstas —dice mostrándolas— son mis pirañas.

Los peces son hermosos, ovalados, de color gris-plateado, con un poco de rubor en los carrillos y las mandíbulas inferiores. Cada una es del tamaño de la cabeza de un niño, no más grande. Stan las mira fijamente.

—¡Pirañas! —le susurra a Nitasha.

Como casi todo el mundo, Stan conoce la feroz reputación de las pirañas. Son los peces letales de las leyendas, los peces que desollarían a un hombre hasta los huesos en sólo unos segundos.

Pero éstos parecen ser mansos, dóciles. ¿De verdad son pirañas?

—¡Ésas no son pirañas! —¡grita alguien—. ¡No pueden ser pirañas!

Pancho sonríe.

—No —dice—. Desde luego que no pueden ser pirañas. ¿Les gustaría meter la mano en el tanque para comprobarlo?

Pancho camina hacia el frente y se adentra en la multitud.

—¿Qué tal usted, señora? —pregunta—. ¿O usted, señor?

La gente ríe. Caminan hacia atrás y le abren paso a Pancho. Stan lo observa caminar entre la gente. Observa a los peces suspendidos en el agua cristalina, con las aletas y las colas impulsándolos elegantemente hacia delante, boqueando como si dijeran "o, o, **O**, o, o".

—¿O usted, joven? —le dice una voz a su lado.

Es Pancho, desde luego, que se aproxima a Stan.

—Usted parece conocer el mundo de los peces —dice Pancho—. Usted mismo casi podría ser un pez. ¿Le gustaría…?

Sin embargo, de pronto Pancho se da la vuelta y prende el brazo de un niño que está parado junto a él y se está comiendo un sándwich.

—¡O *tú*! —dice de pronto—. Tú pareces ser un niño travieso. ¿Cierto?

El niño no puede hablar, pero el hombre que viene con él dice:

—¡Sí, tiene razón, señor Pirelli! ¡Es un niño muy travieso!

—¡Papá! —grita el niño—. Trata de resistirse, pero Pancho lo tiene bien sujetado. El niño jadea, ríe nervioso y gime junto a Pancho.

—¡Es un pequeño monstruo, señor Pirelli! —dice el padre del niño, y casi no puede hablar de la risa—. ¡Es una amenaza! ¡Mi esposa y yo con frecuencia hemos dicho que se lo deberíamos dar de comer a las pirañas de Pancho Pirelli!

—¡Pues hagámoslo! —dice Pancho.

Acerca al niño al tanque y le quita el sándwich de la mano.

—¿Qué es *esto*? —pregunta.

—¡U... u...un *chambis* de *chalchicha*! —exclama el chico.

Pancho acerca el sándwich al vidrio del tanque. Los peces nadan furiosamente hasta ahí. Sus quijadas se abren y se cierran y sus ojos vidriosos observan estúpidamente más allá del vidrio.

—Estos pobres peces están hambrientos, pequeño —dice Pancho—. ¿Les doy tu *chambis* de *chalchicha*?

—Sí, señor Pirelli —murmura el niño.

En uno de los flancos del tanque hay una escalera. Pancho se sube a ella con el sándwich en la mano mientras los peces nadan hacia arriba. La multitud ríe cuando el chico vuelve corriendo al lado de su padre. Pancho llega al final de la escalera, se inclina sobre el tanque, sonríe y deja caer el sándwich. Sus horrendos peces se apresuran a llegar hasta él, lo hacen pedazos y forman un tumulto dentro de la pecera. La gente guarda silencio. El corazón de Stan retumba, nunca había visto nada tan salvaje, y todo por un sándwich de salchicha. "¿Qué harían esas pirañas con un niño?", se pregunta.

Veintinueve

Pancho sonríe. El sándwich ha desaparecido, los peces nadan con energía renovada y con cierto sentido de urgencia, como si pudieran cazar algo más dentro del tanque vacío.

—¿Ven? —dice Pancho—. ¿Ven lo que pueden hacer mis peces con un *chambis* de *chalchicha*? Imaginen lo que podrían hacer con un...

Pancho lanza un decepcionado gemido.

—¿Pero a dónde se fue mi niño travieso, el pequeño monstruo? Ah, veo que corrió de vuelta con su papi —Pancho los observa—. ¡Devuélvamelo! ¡Los peces tienen hambre! ¡Están esperando!

El padre del chico tiene ambos brazos alrededor de su hijo. Mira fijamente a Pancho, como si lo retara a quitarle otra vez al niño.

Pancho se relaja y sonríe.

—No se preocupe, señor —dice—. Es sólo una pequeña broma. Su monstruo está a salvo. Ahora, observen.

Pancho busca detrás del tanque y saca un pollo muerto y desplumado. Lo sostiene por una pata y lo balancea frente a él.

—Es hora de algo más grande —dice a la multitud.

Vuelve a subir la escalera y mete al pollo en el tanque. Los peces se lanzan sobre él y, en cuestión de segundos, lo dejan en los huesos. Un instante después ni siquiera éstos quedan. Los peces siguen nadando en círculos, en espirales, en ochos amenazadores.

—¿Creen ustedes que mis peces ya han tenido suficiente? —pregunta Pirelli.

Vuelve a bajar la escalera. Levanta un viejo zapato que está tirado por ahí. Es una cosa de piel oscura, chueca y dura que probablemente lleva ahí varios meses, años. Pancho lo sopesa en la mano. Lo retuerce. Simula olerlo. La gente ríe. Entonces Pancho lo arroja. El zapato dibuja una curva en el aire y va a dar en el tanque lanzando un salpicón. Luego desaparece, destrozado por los dientes de las pirañas, triturado por sus quijadas, engullido dentro de sus vísceras. Y siguen escudriñando, buscando más.

Pancho mira hacia Stan, y cuando habla parece que se dirige sólo a él.

—¿Quién se atrevería a saltar dentro de esa pecera y nadar con los peces? —Su mirada se intensifica—. ¿Tú? ¿Tú?

Stan aprieta la mano de Nitasha y agita la cabeza.

—No, ¡no! —murmura.

Pancho vuelve a caminar entre la gente.

—¿Les gustaría ver a Pancho Pirelli entrar en el tanque? —pregunta—. ¿Se atreverían a mirar si lo hiciera? ¿Acaso cerrarían los ojos? ¿Se darían la vuelta? ¿Correrían gritando?

Saca una bolsa de terciopelo rojo.

—Desde luego, deben pagar —dice en voz baja—. Deben dar dinero para ver a un hombre enfrentar tal peligro.

Las monedas caen en la bolsa.

—Gracias, señor —murmura Pancho—. Gracias, señora.

A veces se detiene, mira a la gente con tristeza o desprecio:

—¿Eso es todo lo que va a dar? —susurra—. ¿Usted enfrentaría la muerte por esa cantidad? Pague más. ¡Pague más! Gracias. Mucho mejor.

Sacude la bolsa y hace sonar las monedas. Busca a aquellos que tratan de esconderse, a los que evitan su mirada para no pagar:

—Lo estoy viendo. A *mí* no me engaña. No pueden esconderse de Pancho Pirelli. ¿No tiene nada de dinero? Ah, pero debe tener alguna pequeña moneda por ahí. Un centavo, un penique. Sáquelo, métalo en la bolsa y verá el espectáculo más grande que haya visto jamás. Gracias, señora. Gracias, señor.

Por fin sonríe. Le lleva a Stan la pesada bolsa con monedas.

—¿Puedes cuidarme esto hasta que regrese?

—Sí —responde Stan, y toma la bolsa.

Pancho se desata el listón del cuello. La capa cae de sus hombros, lleva un traje de baño azul. Le entrega la capa a Stan.

—¿Y esto también?

Stan toma la capa. Pirelli sube la escalera. Se pone los gogles sobre los ojos. Se acerca a la orilla del agua. Y se lanza.

Treinta

La gente se cubre los ojos con las manos y se da la vuelta para no mirar. Grita horrorizada. Imagina que el agua del tanque se enrojece con la sangre de Pancho. Se oyen murmullos, carcajadas y chillidos. Stan no hace nada. Su corazón late con fuerza, la piel se le eriza, las manos le tiemblan, pero puede ver la belleza y la valentía que encierra todo aquello. Observa cómo Pirelli nada con elegancia en el agua. Los peces le abren paso y lo rodean mientras flota en medio del tanque, agitando suavemente el agua con pies y manos. Pirelli mira de frente a la multitud, los peces hacen lo mismo y por un momento todo dentro del tanque permanece inmóvil. Entonces Pancho se mueve, balancea el cuerpo, inclina la cabeza, gira las manos y eleva los pies.

—¡Está bailando! —susurra Nitasha.

Y es cierto. Pancho baila y los peces también bailan en torno a él, girando y torciéndose en esa misma agua que hace sólo unos momentos era la imagen misma del salvajismo. Entonces alguien grita:

—¡Respira, Pancho, respira!

Y todos, hechizados hasta ese momento, se dan cuenta de que Pirelli no ha tomado aire desde que entró al agua. ¿Cómo puede hacer algo así? ¿Cómo puede tener ese tipo de control? Seguramente se va a ahogar. No obstante, la cara de Pancho muestra calma y sus movimientos son fluidos. La multitud se empuja para estar más cerca. Observan al hombre y a los peces bailar ante ellos. ¿Cómo es posible que sigua vivo? ¿Cómo es que los peces no lo dejan en los huesos? Como si buscara calmarlos, Pirelli sale un instante a la superficie, saca la cabeza, respira y vuelve a sumergirse con sus pirañas. Y bailan de nuevo, haciendo espirales y dando vueltas, formando aros y haciendo piruetas, como si dentro del estanque sonara una música hermosa que afuera nadie puede escuchar. Entonces Pirelli nada hacia arriba, sale del tanque, baja la escalera. Levanta un brazo para agradecer la aclamación del público y, una vez abajo, se acerca a Stan y toma su capa.

—¿Pensaste que moriría? —le pregunta.

—No —susurra Stan.

Pirelli sonríe, coloca la capa sobre sus hombros y se alza los gogles.

—¿Crees que tú morirías?

—¿Yo?

—Sí, tú. ¿Crees que morirás cuando sea tu turno de lanzarte al tanque de las pirañas?

Pancho coloca la mano sobre el hombro de Stan.

—Te entrenaré bien, Stan. Te daré toda la ayuda que necesites. No es un asunto de entrenamiento o de ayuda: es tu destino, Stan, lo supe en cuanto te vi. Has venido a este lugar para seguir los pasos de Pancho Pirelli. Serás como yo, Stan. Tendrás un espectáculo de mito y leyenda. Tu nombre se escribirá con letras doradas. Imagínatelo, Stan.

Stan se lo imagina:

¡STANLEY POTTS!

Y echa a correr por miedo a su destino.

Treinta y uno

Esa noche, mientras la luna brilla a través de las ventanas del remolque, Stan duerme con la mano dentro de la pecera. Siente las pequeñas aletas y las colas acariciando su piel. Sueña con dientes y violentas quijadas. Sueña que baila al ritmo de una extraña música acuosa. Detrás de la puerta de aglomerado, Nitasha no puede dormir. Siente que nunca volverá a dormir. Mira la luna y oye la música del ratón loco y siente como si estuviera despertando de un sueño que ha durado desde siempre. Dostoievski ronca y da vueltas en su camastro. Sueña con Siberia, con tormentas de nieve que aúllan y con hielo que convierte la tierra en algo tan duro como el acero. Sueña con una mujer delgada que baila sobre un lago helado mientras pequeños copos de nieve destellan en el aire a su alrededor. Y sueña con su Nitasha. En su sueño, ella también está en un mundo de hielo y escarcha, un mundo tan frío que la niña se ha convertido en hielo. Sin embargo, en el horizonte algo brilla: la sospecha del amanecer. Quizá eso signifique que el sol volverá, que su Nitasha comenzará a descongelarse, que volverá a vivir.

Pero, lector, dejemos por el momento a este trío dentro del remolque. Soñemos nuestro propio sueño. Volemos sobre el techo del remolque y sobre este extraño terreno repleto de espectáculos esperpénticos y juegos mecánicos y costumbres peculiares y momentos mágicos y hogueras y chuletas y papas y escorpiones y peces y carpas. Volemos hacia la luz de la luna para que las hogueras se reduzcan hasta ser del tamaño de luciérnagas, que el ratón loco sea como un distante cometa. Volemos para que la ciudad que contiene la feria se encoja también, hasta que podamos ver la brillante vastedad del cercano mar, las protuberancias y las dentadas cimas de las montañas. Volemos hacia la luna y las estrellas, y hacia la terrorífica enormidad del universo. Y miremos hacia abajo, casi como si nosotros mismos fuéramos la luna, y tratemos de ver lo que ha pasado con otros actores de nuestro relato.

Mira. Ahí está el camino entre las montañas y el mar que Stan, Dostoievski y Nitasha recorrieron en su huida del pueblo. Sigamos el mismo camino en sentido contrario. Mira: ahí está la calle Embarcadero, tan lejos, tan cerca del astillero abandonado. Viajemos a través de la noche y acerquémonos a ese lugar. ¿Cómo podemos hacer algo así?, te preguntarás. Es fácil, ¿no lo crees? Sólo hacen falta algunas palabras colocadas en ciertas oraciones y un poco de imaginación. Podemos ir a donde sea con las palabras y con nuestra imaginación.

Podríamos incluso abandonar por completo este relato y encontrar algún otro en otro lugar del mundo y comenzar a contarlo. Pero no. Quizá más tarde. Será mejor no dejar a los actores de nuestro relato, así que busquémoslos y comencemos a ordenarlos.

¡Ajá! Mira ahí abajo, donde está el camino que se aleja de la calle Embarcadero. ¿Las ves? Son dos personas andrajosas que se tambalean bajo la luz de la luna cargando costales sobre las espaldas. Acerquémonos. Son un hombre y una mujer. ¿Nos sorprende darnos cuenta de que son Annie y Ernie, los desalojados parientes de Stanley Potts? Parece que no les quedan muchas cosas, sólo algunas pertenencias amarradas en bultos. Acerquémonos más. ¿Qué es eso que se ve en sus ojos? Es tristeza, sí, pero también determinación: seguro que se trata de la determinación de encontrar a su muchacho perdido y regresarlo a casa. Quizá oyeron que hay un chico como el que buscan trabajando en un puesto de Pesca-un-pato en una feria instalada en un terreno baldío en una ciudad no muy lejana. Quizá…, pero ¿cómo podemos saber lo que saben y lo que piensan? ¿Podemos acaso entrar en sus mentes sólo con palabras y con nuestra imaginación? Quizá sí. Pero, escucha, no necesitamos hacerlo: están hablando.

—¡Encontraremos a nuestro Stan! —le dice Annie a Ernie.

—¡Sí, lo encontraremos! —le responde Ernie a su esposa. Y los dos siguen adelante a través de la noche, que ya se está convirtiendo en amanecer. Ahí están. Van en la dirección correcta. Quizá no tarden mucho en volver al lugar en el que deben estar: en el corazón de este relato.

Sigue, Annie. Sigue, Ernie. Este relato los espera. ¡Su muchacho los espera!

¡Ajá! Mira cómo levantan el dedo pulgar ante los autos que pasan a su lado. Están pidiendo que los lleven, lector. Esperemos que algún automovilista amigable los recoja y los acerque a la feria.

Pero ¿qué es ese ruido que se escucha antes del amanecer sobre la carretera? Oh, demonios: es la camioneta de la SOSA. Y el que está adentro con las manos al volante ¿no es Clarence P. Clapp? Y esos que se apretujan a su lado ¿no son Doug, Alf, Fred y Ted? Así es. Su expresión también es de urgencia y determinación. Ruge el motor de la camioneta de la SOSA. Las llantas traquetean y resuenan. ¿Reconoce Clarence P. a los dos viajeros al lado del camino? Quizá sí. Baja la velocidad al mínimo cuando pasa junto a Annie y Ernie, como si fuera a ofrecer a llevarlos. ¡Pero claro que se trata sólo de una burla! Sus caras se iluminan y después su gesto se vuelve sombrío cuando reconocen la camioneta. Bajan las manos y desvían la mirada. Clarence P. Clapp baja la ventanilla y, junto con Doug,

Alf, Fred y Ted, lanza a los oídos de Annie y Ernie una andanada de insultos. Se oyen algunas risas y de pronto la camioneta de la SOSA se marcha a toda velocidad con dirección a Stan, de vuelta a este relato.

Treinta y dos

Stan despierta de sus acuosos sueños. La luz del sol entra por la ventana del remolque. Afuera se oyen voces iracundas: son Dostoievski y Pirelli. Stan se levanta de la cama y escucha detrás de la puerta.

—No puede llegar aquí y llevárselo así como así —dice Dostoievski.

—¡Es su destino, señor! —responde Pirelli.

—¡Destino! ¡Aquí tiene una buena vida, un buen hogar y un buen trabajo!

—¿Un buen trabajo? ¿Cuidando un puesto de Pesca-un-pato, lavando patos de plástico, jugando con pecesuchos…?

—¿*Pecesuchos*? Para que lo sepa, ¡algunos de estos peces son grandes dorados!

—¡Grandes dorados! Las pirañas son los únicos peces que importan de verdad. ¡Las pirañas y nada más!

—¡Pirañas! ¿Y cree que le voy a dar al muchacho para que se lo coman esos monstruos?

—¿Me han comido a mí en todos mis años de espectáculo?

—¡Pero usted es Pancho Pirelli!

—¡Y él es Stanley Potts! Tiene el toque, tiene la magia. Estoy seguro de ello. Será mi aprendiz, lo entrenaré y lo aconsejaré. Lo llevaré al hogar ancestral de las pirañas: al Amazonas, al Orinoco, a los grandes ríos de Sudamérica. En esos lejanos y maravillosos lugares Stan aprenderá a nadar con las pirañas, a pensar como las pirañas, a sentir como las pirañas. Y entonces…

—¿Y entonces qué?

—Y entonces, señor Dostoievski, regresará cubierto de gloria. Montará su espectáculo para todos nosotros. ¡Será tan grande y tan famoso como el gran Pancho Pirelli! Como todos los grandes espectáculos de feria de la historia, como el legendario Houdini, ¡será un chico de leyenda! —Pirelli baja la voz—. Seguramente usted mismo se ha dado cuenta, señor, de que este muchacho tiene algo especial.

—Claro que me he dado cuenta —responde Dostoievski.

—Y, seguramente —continúa Pirelli—, no creerá usted que llegó a este lugar por casualidad.

—Por supuesto que no —dice Dostoievski—. Desde el principio supe que el muchacho tenía algo especial.

—¡Pues ahí tiene!

—Pero pensé que ese algo especial tenía que ver con los peces dorados, con el Pesca-un-pato, con…

—El muchacho tiene una vocación más grande, señor

Dostoievski. Está llamado a ser nada menos que el siguiente Pancho Pirelli.

Cae un silencio entre los dos hombres. Stan se alista para salir del remolque.

—Pero, señor Pirelli —dice Dostoievski—, nos hemos encariñado mucho con el chico. ¡Es como de la familia!

Stan gira el picaporte, abre la puerta y sale. Ambos hombres se vuelven a mirarlo.

—Señor —dice Pancho en voz baja—, hay cosas que son aún más grandes que la familia.

—¿Ah, sí? ¿Las hay?

Esas palabras las dice Nitasha, que sale del remolque detrás de Stan, tapándose con un camisón. Ella patalea sobre el piso.

—¿Quién se cree usted que es para hablar así de nuestro Stan? Ah, sí, ya sé que es el gran maravilloso famoso especial y asombrosamente espectacular Pancho increíble Pirelli, pero ¿qué le hace pensar que puede hablar de Stan como si fuera un esclavo o algo así, como si no tuviera opción o algo así?

Dostoievski, asombrado, mira a su hija.

—Bien dicho, Nitasha —murmura.

—¿Eh? —responde ella—. Nada de "Bien dicho, Nitasha". Tú eres tan malo como él. "¡Limpia los patos, llena el estanque, cuida el puesto, compra los peces! Oh, Stan, eres tan especial, te queremos tanto." Pero ¿qué opción le dejan a él, eh? El pobre chico no sabe si va o viene. ¿Verdad, Stan?

—¿Perdón? —dice Stan.

—Que no sabes si vas o vienes, ¿verdad? Claro que no. Si Stan pudiera elegir, y no entiendo por qué no lo ha hecho, estaría de vuelta en su casa, sano y salvo en… ¿cómo se llama, Stan?

—La calle Embarcadero —dice Stan.

—¡Exacto! —exclama Nitasha—. Estaría de vuelta en su casa de la calle Embarcadero. Pero, ah, no. Todo es "limpia los patos, llena el estanque, compra los condenados peces…".

—Sht —la interrumpe Stan.

—¿Qué? —responde Nitasha.

—Guarda silencio.

—Sólo les estoy diciendo que te pregunten a ti qué quieres, Stan.

—Ya lo sé.

—Y entonces, ¿qué es lo que quieres?

Stan suspira.

—Quiero desayunar —responde.

—¿Desayunar? —pregunta Dostoievski.

—Sí. Quiero chocolate caliente y pan tostado y quiero sentarme a la mesa como hace mucho tiempo que no hago.

—Correcto —dice Dostoievski.

—Correcto —dice Pirelli.

—Y quiero que todos ustedes se callen y dejen de discutir mientras como —agrega Stan.

—Está bien —dice Dostoievski—. Desayunar. Supongo que habrá un proveedor de desayunos. ¿Quiere ayudarme a encontrarlo, señor Pirelli?

Pancho mira a Stan.

—¿Te gustaría que lo ayudara? —le pregunta.

—¡Sí! —contesta Stan.

Y los dos hombres se adentran en el corazón de la feria.

Treinta y tres

—¡Hombres! —exclama Nitasha, y se sienta en los escalones del remolque—. ¿Tú quieres ser el siguiente Pancho Pirelli?

Stan se encoge de hombros.

—Sepa. La verdad es que nunca he querido gran cosa.

—Parece ser muy peligroso.

—Es cierto. Pero cuando vi al señor Pirelli nadando con las pirañas, de cierta forma supe que yo también podría hacerlo.

—¿De veras?

—Sí. Estaba asustado, pero creo que sé qué se siente ser el señor Pirelli. Y, de cierta forma, sé qué se siente ser un pez.

—¿Qué? —pregunta Nitasha.

—Lo sé. Es una locura, pero así es.

Nitasha ríe. Se acerca a Stan y se asoma por el cuello de su camisa, buscando algo en su espalda.

—¿Qué estás haciendo? —pregunta Stan.

—Busco tus aletas —dice Nitasha.

Stan ríe. Abre y cierra los labios, boqueando: O O O O.

—De todas formas —agrega él—, te equivocas. En realidad no quiero volver a la calle Embarcadero. Creo que me gustaría ver el Amazonas y el Orinoco. Eso sería un buen cambio, pero hay otras cosas que tengo que arreglar antes.

—Como el asunto de tus tíos —dice Nitasha.

—Sí —responde Stan.

Nitasha suspira.

—Lamento haber dicho todas esas cosas tan horribles sobre ellos —dice.

—Está bien.

—No, no está bien. De verdad lo siento. ¿Crees que te estén buscando?

—¿Qué? —dice Stan.

—¿Que si crees que te extrañen y te estén buscando?

Stan se encoge de hombros.

—Sepa.

Stan piensa en Ernie, en lo extraño que se volvió. Quizá él mismo se esté volviendo aún más extraño.

—¿Te querían? —pregunta Nitasha.

—Sí, claro —dice Stan.

—Pues entonces vendrán a buscarte. Y puede que te encuentren.

—Puede, pero cuando me encuentren seré un Stan diferente al que creen que están buscando.

Nitasha sonríe.

—Encontrarán un Stan que tiene algo como de pez.

—Sí —dice Stan, y por un momento piensa en Annie y en Ernie, y espera que lo extrañen y que lo estén buscando ahora mismo. Luego mira a Nitasha de nuevo. Hoy luce tan diferente. Ella también está cambiando.

—¿Tú qué quieres ser de grande? —pregunta Stan.

Ella ríe.

—¡La mujer más fea y gorda y barbuda que hayas visto jamás! —responde.

—No lo dices en serio, Nitasha.

—Ayer sí —dice Nitasha.

—Pero hoy no.

—No. Algo ha cambiado.

—Quizá todos podamos convertirnos en alguien especial si nos lo proponemos —dice Stan.

—Puede ser —responde Nitasha—, pero tú tienes otros asuntos que arreglar antes. Yo lo que quiero es que mi mamá regrese de Siberia.

—Quizá lo haga.

—Quizá sí. ¡Mira!

Nitasha señala a Dostoievski y a Pirelli, que vienen hacia el remolque cargando una mesa repleta de cosas para el desayuno.

—Pan tostado, chocolate caliente, mermelada, mantequilla y jugo de naranja fresco —dice Pirelli.

Todos se sientan a comer. El sol brilla sobre ellos. La comida y las bebidas están deliciosas. Después de un rato, Stan se dirige a Dostoievski.

—Señor Dostoievski —dice—. No quiero dejar de trabajar en el Pesca-un-pato, pero creo que sí me gustaría intentar nadar con las pirañas.

—¿De verdad, muchacho?

—Sí —dice Stan.

Y el señor Dostoievski mira a Stan a los ojos y dice:

—Quizá me equivoque al interponerme en el destino de un chico.

Se vuelve a ver a Pancho.

—¿Lo entrenará bien?

—¡Desde luego! —exclama Pancho.

—Está bien —dice Dostoievski.

Treinta y cuatro

—Tus enemigas —dice Pirelli— no serán las pirañas. Tu enemigo será el miedo. ¿Entiendes?

—Creo que sí, señor Pirelli —responde Stan.

Seguimos en la misma mañana, un poco más tarde. Pancho Pirelli y Stan se fueron del puesto de Dostoievski y Nitasha. Ahora están junto al gran tanque de agua. Comienza el entrenamiento de Stan.

—¡Muy bien! —continúa Pirelli—. No debes tener miedo, debes ser valiente y decidido. Y debes convertirte en Stanley Potts.

—Pero si ya soy Stanley Potts —señala Stan.

—Debes convertirte en *El* Stanley Potts, Stan. Debes ser el Stanley Potts de mitos y leyendas. ¿Entiendes?

Stan no está seguro de entender. Mira el tanque. Las pirañas pasan frente a él sin mirarlo. Observa sus dientes, la forma en que las quijadas se engranan, y no puede evitar estremecerse.

—Yo fui un chico alguna vez —dice Pirelli—. Recuerdo la primera ocasión en que vi una piraña. Recuerdo la primera vez que entré al agua.

—¿Dónde fue eso, señor Pirelli?

Pancho mira a Stan y sus ojos se llenan de ensoñación.

—En la tierra de mi infancia, Stan. En las lejanas selvas de Venezuela y Brasil. De niño, caminé por las riberas del Amazonas y el Orinoco, donde hay monos y serpientes y aves tan brillantes como el sol y ranas del color del fuego. En la selva me entrenaron hombres sabios y misteriosos. Ahí pasé años meditando y entrenándome. —Mira a Stan de reojo—. Tú también debes tener una infancia exótica, Stan.

—Pero yo crecí en la calle Embarcadero —dice Stan—, con mi tío Ernie y mi tía Annie.

—Eso no quiere decir nada —dice Pirelli—. Debes inventarte una nueva infancia, Stan.

—¿Quiere decir que mienta? —pregunta Stan.

—No, más bien debes… crear un mito. Ven conmigo. Tengo cosas qué mostrarte y que te ayudarán.

Pirelli dirige a Stan hacia el remolque azul detrás del tanque. Stan entra. El lugar está limpio y ordenado. De la pared cuelgan cuadros de bestias exóticas en selvas exóticas, de peces y aves deslumbrantes. Hay fotografías de Pirelli frente al tanque de las pirañas junto a estrellas de cine, princesas y políticos. Stan se sienta en una silla de madera mientras

Pirelli abre un cajón y saca dos fotografías. La primera muestra a un niño flacucho y tristón vestido de uniforme: pantalones cortos, un saco gris, camisa blanca y corbata de rayas.

—Éste soy yo como era antes —dice Pirelli.

Le muestra a Stan la otra fotografía; esta vez se trata de un muchacho que, con el pecho descubierto, un traje de baño azul y una capa también azul, mira desafiante a la cámara a través de sus gogles.

—Y ésta es la persona en quien me convertí.

—¿En Venezuela? —pregunta Stan.

—No —dice Pirelli—, en Ashby-de-la-Zouch.

—¿Ashby-de-la-Zouch?

—Sí —afirma Pirelli—. Está muy cerca de Birmingham, aquí en Inglaterra.

—Pero qué hay de…

—¿Del Orinoco? ¿Del Amazonas? He leído sobre ellos, desde luego. He visto fotografías y películas acerca de ellos, parecen lugares maravillosos. Y sí, es mi intención ir algún día (espero que contigo, Stan), pero no, nunca he estado ni remotamente cerca del Amazonas, ni del Orinoco.

—Entonces la historia de su infancia es…

—Sí, Stan. Es un cuento, una leyenda.

Stan suspira. Todo esto es demasiado para él. Quizá debería regresar a la calle Embarcadero. Pirelli lo observa.

—Sólo te digo todo esto porque confío en ti, Stan. Yo sé que no se lo dirás a nadie, y sé que eres leal porque cuando te vi por primera vez me reconocí en ti.

Pirelli pone un vaso con soda oscura en la mano de Stan. Stan la olisquea.

—¡Es soda oscura! —exclama.

—Así es. Tómatela, te fortalecerá.

Stan da un pequeño trago y, como la última vez, la encuentra extraña y deliciosa a la vez.

—Ahora te diré la verdad —dice Pirelli—. Yo era un niño más bien infeliz y triste. Mi padres murieron cuando era muy pequeño…

—Como los míos.

—Sí, Stan. Tal como lo sospeché, igual que los tuyos. Unos parientes lejanos me adoptaron. Era una pareja miserable: el tío Harry y la tía Fred.

—¿Tía Fred?

—Se llamaba Frudella —explica Pirelli—. Pero la verdad debió haber sido hombre, a decir por la cantidad de pelo que tenía, la pipa que fumaba, lo lejos que escupía y el veneno que soltaba. En fin, me metieron en una escuela que me llenó de odio y miedo; se llamaba San Blister. Te haré el cuento corto: un circo llegó al pueblo y yo me escapé con él.

—¿Nunca lo encontraron? —pregunta Stan.

Pirelli se encoge de hombros y agita la cabeza.

—Sospecho que casi ni me buscaron.

—¿Y fue entonces cuando comenzó usted a nadar con pirañas? —pregunta Stan.

—No. Yo limpiaba a los camellos y a las llamas. Cepillaba a las cebras y bañaba a los elefantes. Cosas encantadoras. Entonces, una tarde, llegó Pedro Perdito.

—¿Pedro Perdito?

—Y sus pirañas. Él sí venía de Brasil, o al menos eso dijo. Me encontró como yo te encontré a ti. Dijo que nuestro encuentro era cosa del destino. Me enseñó todo sobre los peces y los mitos. Me entrenó y me convirtió en lo que soy el día de hoy: el gran y extraordinario Pancho Pirelli. Éste es, míralo tú mismo.

Otra fotografía. Parece muy antigua, como si la hubieran pintado de colores por encima. En ella aparece un hombre de piel y pelo oscuros, con bigote y una capa azul cielo. Detrás de él está el tanque con las pirañas de quijadas rubicundas nadando dentro, y sobre una cortina abierta se pueden observar las letras doradas de su nombre.

—¡Pedro Perdito! —exclama Pancho—. Un hombre maravilloso, milagroso. Pedro Perdito, mi maestro, ¿no es genial?

—Sí —responde Stan.

—Bien, ahora tómate tu refresco y ponte esto.

—¿Que me ponga qué?

Pirelli sonríe. Busca de nuevo en el cajón. Saca un traje de baño y una capa azul cielo, y unos gogles.

—¡Esto! —dice—. Son el traje de baño, la capa y los gogles que Pancho Pirelli usó de niño, ¡que han estado esperando todo este tiempo al nuevo Pancho!

Treinta y cinco

Stan luce espléndido en su nuevo traje. Es escuálido y flacucho y, por supuesto, sigue siendo nuestro pequeño Stan, pero ya se siente como un Stan distinto. Está de pie junto al tanque de las pirañas y junto a Pancho bajo la luz de la mañana. Juntos observan a los peces letales.

—Desde luego que no te voy a lanzar así nada más —dice Pancho.

"¿Qué? ¿Lanzarme?", piensa Stan.

—Supongo que debo entrenarte, como dijo Dostoievski —continúa Pancho—. Es la forma moderna de hacerlo, ¿verdad? Educación y entrenamiento y etcétera, etcétera.

—Supongo, señor Pirelli.

—Pues vamos a empezar. Primero que nada te tengo que educar. Lección número uno: Conocer a las pirañas. Aquí hay algunos libros.

Pirelli busca en un espacio debajo del tanque. Saca un par de libros maltratados:

una vieja enciclopedia y un viejo atlas. El primero indica con letras borrosas que las pirañas son unos agresivos peces carnívoros de los ríos de Sudamérica. "No se meta a ningún río en donde se sospeche que habitan pirañas", dice. El segundo muestra las rutas del Amazonas y del Orinoco a través de la jungla y la selva sudamericana: "Gran parte de esta vasta región aún no ha sido explorada", señala.

—Esas cosas ya las sabías, por supuesto —dice Pirelli—. Por cierto, me imagino que sabes nadar.

Stan recuerda cuando iba a la escuela y visitaba la piscina del pueblo: chapoteaba en el agua con una docena de niños mientras sus maestros se quedaban de pie y, vestidos de traje junto a la piscina, les gritaban que se comportaran.

—Sí —responde—. O al menos sabía nadar. Tengo un diploma por nadar cincuenta metros.

—Muy bien —dice Pirelli—. Aunque éste es otro tipo de natación, más bien como hundirse con control, supongo. Tendremos que trabajar tu respiración. Aguanta la respiración.

—¿Disculpe?

—Respira hondo y aguanta todo el tiempo que puedas.

Stan respira profundo. Retiene el aire. Pasan quince segundos. Siente que va a estallar. Suelta el aire con un resoplido y vuelve a respirar.

—Vamos a intentar que llegues a un minuto, más o menos, al final de esta semana. ¿Sabes bailar? —pregunta Pirelli.

Stan no había considerado esa cuestión.

—No sé —admite.

—Yo tampoco sabía cuando tenía tu edad. El tío Harry y la tía Fred no eran famosos por su amor a la danza. ¿Qué tal tus tíos?

—Tampoco —dice Stan.

—Eso pensé, pero me imagino que, como yo, resultará que eres un bailarín nato. Inténtalo, por favor.

—¿Que intente qué?

—Bailar. Sólo muévete como si estuvieras bailando bajo el agua al ritmo de una música que no se oye. Anda. No seas tímido.

Stan mira a su alrededor. Se ha reunido un pequeño grupo de personas, Pancho los ahuyenta.

—¡No habrá función hasta la noche! ¡Regresen más tarde, por favor!

Algunas personas se marchan, pero otras se quedan. Una de ellas es Tickle Peter. Stan lo saluda con la mano y Peter lo saluda desanimado.

—¡Éste es Stanley Potts! —dice Pirelli—. ¡Será uno de los grandes! Sin embargo, su primera función será hasta dentro de un tiempo. —Se vuelve a mirar a Stan—. No les hagas caso, Stan. Ya tendrán su momento. Ahora, muéstrame cómo bailas.

Stan mueve un poco los pies. Gira la cadera. Mueve la cabeza hacia arriba y hacia abajo.

—Ya trabajaremos en ello —dice Pirelli—. Ahora, hagamos la verdadera prueba. Es hora de que te enfrentes a tus pirañas internas.

—¿Mis pirañas internas? —pregunta Stan.

—Debes imaginar que los peces nadan junto a ti, que nadas con ellos. Debes mirarlos a los ojos y demostrarles que eres decidido y valiente. ¿Puedes hacer eso, Stan?

Stan se encoge de hombros, parece fácil.

—Cierra los ojos y hazlo, Stan —dice Pancho. Stan cierra los ojos—. Mira las aletas, las escamas y los dientes. Siente las aletas y las colas tocando tu piel. ¿Puedes imaginarlo, Stan?

Stan vuelve a encogerse de hombros.

—Sí —contesta.

—Excelente. Ahora, míralas a los ojos, Stan. Mantén la calma y la confianza.

Stan es bueno para esto. Observa los peces. Siente la frescura del agua. Mira los dientes. Siente las colas y las aletas. Es muy agradable, en realidad, casi como los sueños en los que nada con sus peces dorados.

—¿Ya te mordieron? —pregunta Pirelli.

—¿Qué? —dice Stan.

—¿Que si ya te mordieron? ¿Ves sangre?

Stan suspira. ¡Por supuesto que no lo han mordido!

—No —dice.

—¡Excelente! Ya puedes abrir los ojos.

Stan abre los ojos.

—Eso estuvo muy bien —dice Pirelli.

—Fue muy fácil —dice Stan.

—Fácil para ti, quizá, pero tú eres Stanley Potts. Para la mayoría de la gente, las pirañas internas son tan peligrosas como las externas. La sola idea de las pirañas es tan terrorífica como meterse al tanque con ellas. Ten, toma un poco de soda oscura.

Stan le da un trago. Observa el tanque. Media docena de pirañas se ha reunido en un pequeño grupo, cerca de la orilla, y lo miran fijamente.

"Hola, compañeros míos", murmura para sus adentros.

"Hola", oye desde dentro de sí.

Treinta y seis

—Señor Pirelli —dice Stan.

—¿Sí?

—Este entrenamiento no parece estar muy... organizado.

—Tienes razón, Stan. No lo es. La cosa es que nunca antes he tenido un aprendiz. Y convertirse en *El* Stanley Potts no es cuestión de entrenamiento. Es cuestión de creer, es un asunto de soñar. Cuando hoy por la noche estés en el remolque con Dostoievski y Nitasha quiero que sueñes que nadas con pirañas, que sueñes con tu infancia en el Orinoco. ¿Puedes hacer eso, Stan?

—Sí —dice Stan—. ¿Así lo entrenó Pedro Perdito, señor Pirelli?

—En realidad no —responde Pirelli.

—¿Entonces, cómo lo entrenó?

—Me lanzó al tanque.

—*¿Lo lanzó al tanque?* —se asombra Stan.

—Sí. Dijo que estaba seguro de que mi destino era ser el siguiente Pedro Perdito y que sólo había una forma de estar seguros. Así que me agarró, me subió por las escaleras y me lanzó.

—Y ¿qué pasó?

—Nada, pataleé unos segundos. Pedro observaba lo que estaba ocurriendo: los peces nadaban felices a mi alrededor. Entonces me sacó, dijo que yo era la persona adecuada, me dio un traje de baño y una capa, y listo.

Stan lo mira. Se muerde un labio mientras piensa en aquello que Pancho le cuenta.

—Eran los viejos tiempos —dice Pirelli—, un mundo distinto, las cosas se hacían de otra manera.

Stan cierra los ojos. Ve a un chico como él pataleando dentro del agua hace muchos años.

—¿Por qué no se lo comieron, señor Pirelli? —pregunta—. ¿Por qué no se lo comen ahora?

Pirelli sonríe.

—Ésa es la pregunta, ¿verdad? Es la única pregunta. No me comen porque saben que no estoy ahí para ser comido. No me comen porque soy Pancho Pirelli.

—¿Y a mí no me van a comer porque soy Stanley Potts?

—Correcto.

Stan observa los peces que nadan elegantes en el agua. Mira a sus espaldas. Tickle Peter observa el tanque con desaliento. El hombre-jabalí está ahí comiendo una chuleta. La señora de la casa embrujada lo saluda con los colmillos falsos.

Más allá, ve que Nitasha y Dostoievski se acercan caminando entre los puestos.

—También hay otro secreto —dice Pancho.

—¿Qué tipo de secreto?

—Un secreto que sólo puede revelarse a quienes nadan con pirañas.

—¿A personas como yo?

—Sí.

—¿Cuál es?

Pancho mira para un lado y para el otro.

—¿No le dirás a nadie? —susurra.

—A nadie.

—Muy bien. Las historias de las pirañas, esas que dicen que comen personas y que las dejan en los huesos, pues son sólo eso: historias.

—¿Entonces no comen gente? —pregunta Stan.

—Sí, pero no con frecuencia. Desde luego, nunca se puede estar seguro. Cada vez que me lanzo al tanque estoy un poco preocupado: ¿será éste el día de la desgracia?

Stan lo piensa.

—Entonces, todo ese asunto de convertirme en *El* Stanley Potts y ser un muchacho de mito y leyenda ¿en realidad no importa?

—¡Claro que importa! —grita Pancho—. ¡Eres un artista!

Debes ser un héroe y atraer a multitudes de admiradores. Y los peces responderán. No parecen muy listos, pero reconocen a un artista cuando aparece en el tanque.

Ambos se vuelven para ver los peces. Los peces los miran de vuelta.

—Señor Pirelli —dice Stan.

—Dime, Stan.

—Quizá debería lanzarme al tanque, como hizo Pedro con usted.

—Mírales los dientes, Stan.

—Los estoy viendo.

—Acuérdate del pollo, Stan, y del sándwich. Y de la pregunta: ¿será éste el día de la desgracia?

—Me acuerdo de todo, y del zapato, pero siento que todo va a salir bien. Quizá la única forma de entrenarme correctamente sea hacerlo como Pedro lo entrenó a usted —Stan observa a los mirones—. Será mi primer espectáculo. Haré como que estoy aterrorizado.

Pirelli resplandece de placer.

—Eres un verdadero artista, Stan, un verdadero creador.

Stan mira a Pancho con orgullo. Para su asombro, debe admitir que se siente como un artista. ¿Qué pensarían Annie y Ernie de todo esto?

—Ésa es la última señal que necesitaba —dice Pancho.

—¿A qué se refiere con la última señal?

—A que esto demuestra que, en efecto, eres el siguiente Pancho Pirelli. No necesitas entrenamiento, lo que dices es la prueba de que eres un nadador con pirañas nato. ¿Estás listo, Stan?

Stan se arma de valor.

—Sí —responde.

—¿Sabes? No haría esto si no estuviera seguro de que estarás a salvo.

—Lo sé, señor Pirelli.

Pancho se vuelve para encarar a la multitud.

—¡Amigos! —exclama—. ¡Éste es un momento histórico! ¡Éste es el gran y maravilloso Stanley Potts, el chico que acudió a una cita con su destino! Acérquense. Véanlo entrar al tanque de las pirañas. ¡Obsérvenlo encarar a la muerte! ¡Mírenlo bailar!

Los mirones se acercan.

—¡Pero si es sólo un niño! —dice alguien.

—¡Yo también fui sólo un niño alguna vez! —responde Pancho—. ¡Todos lo fuimos!

—¡Yo no! —grita la mujer de los colmillos.

—¡Y yo fui un jabato! —dice el hombre-jabalí.

Pancho no les hace caso, toma a Stan del brazo y lo guía hasta el tanque.

—¿Estás seguro? —murmura.

Stan controla los nervios.

—Sí, señor Pirelli —dice—. Sí.

Stan simula resistirse.

—¡Eso es crueldad! —grita una voz—. ¡El chico será devorado!

La multitud se acerca.

—¡Más rápido, Stan! —susurra Pirelli.

Se cuelga a Stan de los hombros y comienza a subir la escalera.

—¡Que alguien lo detenga! —grita un hombre.

—¡No puedo ver!

—¡Esto es una locura!

—¡Es un crimen!

—¡Un asesinato!

Se escuchan pasos al pie de la escalera.

—¡BASTA! —grita Stan—. ¡BÁJEME, SEÑOR PIRELLI!

Pancho se detiene y baja a Stan, quien sube solo el resto de la escalera. Se queda de pie en la cima, completamente solo.

—¡Está bien, amigos! —grita—. ¡No me comerán! ¡Soy Stanley Potts!

—¡NO! —grita Nitasha.

—¡No seas estúpido, muchacho! —grita la mujer de los colmillos.

—¡NO, STAN! —grita Dostoievski—. ¡SE SUPONE QUE HOY SÓLO IBAS A PRACTICAR!

Stan levanta una mano para acallar los gritos. Se siente orgulloso y fuerte. Se pone los gogles.

—¡No moriré!

Observa el tanque, mira a las pirañas que también lo ven. ¿Es hambre lo que percibe en sus ojos?

—¡NOOOOOOO! —grita Dostoievski.

Stan respira profundo. Se para en la orilla del tanque.

—¡Hasta pronto, amigos! —grita.

Dostoievski corre, sube la escalera y trata de detener a Stan. Demasiado tarde. Cuando Dostoievski trata de agarrarlo, Stan se hace a un lado, se inclina hacia adelante y se lanza.

Treinta y siete

Llegados a este punto, podríamos emprender otro viaje a otra parte de este relato. Podríamos elevarnos desde la feria y buscar por el camino para ver cómo les va a Annie y a Ernie. Podríamos mirar hacia abajo y ver la destartalada camioneta de la SOSA y los extraños hombres que van adentro. Podríamos viajar incluso más lejos, hasta Siberia, para ver si hay señales de la señora Dostoievski y sus bailarinas, para ver si hay forma de llevarla de vuelta hasta la solitaria Nitasha. Podríamos incluso abandonar por completo este relato y comenzar otro. Pero no, probablemente éste no sea el momento, quizá debamos concentrarnos en nuestro héroe, Stanley Potts. ¿Estás de acuerdo?

Muy bien. Pues Stan se lanza al agua letal, al tanque de la muerte, al…

Y se va hundiendo, de cabeza, hasta el fondo. El tanque se convierte en una tormenta de burbujas y salpicones con un niño que trata de flotar entre peces arremolinados. Stan rebota en el fondo. No tiene pinta de ser un artista. Los peces nadan a su alrededor en medio de la confusión. Sale a la superficie a tomar un poco de aire y en ese momento Dostoievski lo atrapa y lo saca de un tirón.

—¡STAN! —grita—. ¡SE SUPONE QUE SÓLO IBAS A PRACTICAR!

—¡ESO ESTOY HACIENDO! —grita Stan a su vez—. ¡LÁNCEME DE VUELTA!

Dostoievski no puede hacer eso, desde luego. Se cuelga a Stan de los hombros y lo baja a tierra firme.

Pancho Pirelli se para a su lado.

—¿De qué te ríes, Pirelli? —dice Dostoievski—. El chico podría haber muerto ahí adentro.

—Sonrío —dice Pancho—, porque lo sacó justo a tiempo, señor Dostoievski. Casi podría usted ser parte del acto. ¿Le gustaría unirse a nosotros?

—¿Unirme a ustedes? —grita Dostoievski—. Esto es una locura, Pirelli. ¡El chico ni siquiera había oído hablar de las pirañas antes de ayer y ahora tú lo tienes nadando con ellas!

—Sí —sonríe Pancho—. ¿No es un chico maravilloso? Creció en la ribera del Orinoco, ¿lo sabía?

—¡Claro que no! Creció en la calle Embarcadero.

—¡Chitón! —dice Pancho y levanta la voz para que los mirones lo puedan oír—. Creció en la ribera del Orinoco. Lo crió la gente de la selva sudamericana.

—¡Por supuesto que no! —dice Nitasha, que ha llegado hasta donde están.

Ahora Stanley se ríe.

—Así fue, Nitasha —le dice guiñando un ojo—. Así fue. Todo es parte de mi leyenda. Y sí puedo nadar con pirañas.

—Pero necesitas más práctica, muchacho —advierte Dostoievski—. ¡No hace ni un día que estabas lavando patos de plástico y ahora estás nadando al borde de la muerte!

—Está bien —dice Pancho—. Practicaremos un poco más. Y entonces daremos un espectáculo que pasará a la historia. ¿Qué te parece esta noche, Stan?

—¿Esta noche? —pregunta Dostoievski.

—Sí, esta noche —Stan abraza a Dostoievski y a Nitasha—. Estaré listo. Todo va a salir bien.

—Es un muchacho muy especial —dice Pancho—. Usted mismo lo dijo.

Dostoievski está de acuerdo.

—¡Por favor, di sí! —ruega Stan.

—Está bien —admite Dostoievski—. Esta noche, ¡pero antes tienen que practicar mucho!

Pancho esboza una amplia sonrisa y se vuele a hablar con su preocupado público.

—Esto fue sólo un ensayo, damas y caballeros —anuncia—. Ahora, corran la voz. Díganle a sus amigos. Esta noche se llevará a cabo la primera actuación pública de Stanley Potts. ¡Esta noche nacerá una estrella! —Y abre mucho los ojos—. ¡Eso, o una estrella será devorada!

Treinta y ocho

Muy bien. Ésta es nuestra oportunidad de ver qué es lo que está pasando en el camino que parte de la calle Embarcadero. Salgamos de la feria. Elevémonos y miremos hacia abajo. ¡Oh, diablos!, ahí está la camioneta de la SOSA entrando al pueblo y con Clarence P. Clapp y Doug, Alf, Fred y Ted amontonados dentro. Ya se acercan al semáforo. Y mira: ahí está el mismo policía en la intersección. La luz cambia a rojo, el policía camina con parsimonia por la calle y mira fijamente a través del parabrisas.

—¡Pórtense bien, muchachos! —dice Clarence P. Clapp—. Nos va a visitar un *osifial* de la ley.

El policía lee las siglas de la SOSA escritas en un costado de la camioneta. Se acerca a la puerta; Clarence P. baja la ventanilla.

—¡Buenas tardes, *osifial!* —saluda—. Es bueno saber que usted está luchando contra el crimen en este pueblo.

—¿Cuál es su nombre? —pregunta el policía—. ¿Y cuál es el motivo de su visita?

—Mi nombre es don Clarence P. Clapp y el *motivio* de mi visita es buscar sospechas apestosas y destruirlas.

—¿Ah, sí? —dice el oficial.

—Así es. Yo, señor, soy un *envestigador* de la SOSA

—¿Conque sí, eh? —dice el policía.

—Sí, *osifial*. Un *envestigador* con siete estrellas y dos galones y un certificado firmado por el gran *envestigador* en jefe en persona. Yo *envesto* cosas extrañas, cosas peculiares, cosas que ni siquiera deberían ser cosas. ¡Y les pongo un alto *acsoluto* y total!

—¿Ah, sí?

—Sí, señor. Y éstos son mis muchachos: Doug, Alf, Fred y Ted. Saluden, muchachos.

—Hola, *osifial* —gruñen los muchachos.

—Hola, chicos —responde el oficial.

—¿Podría tomarme la libertad de preguntarle si en este pueblo hay cosas sospechosas y apestosas que deban ser *envestigadas?* —pregunta Clarence P. Clapp.

El policía se recarga en la ventanilla.

—Vivimos en un mundo lleno de maldad, ¿no es así, señor Clapp?

—Así es.

—Así que siempre hay cosas sospechosas —dice el policía—. Siempre hay cosas apestosas, actividades peculiares, vagabundos, pandillas, merodeadores y gente mala que podría llevarnos a todos a la perdición. Déjeme decirle que ahora mismo, a menos de un kilómetro de aquí, tengo un campo lleno de...

En ese momento suena un claxon. El oficial se aleja un paso de la camioneta y observa fijamente a los autos que están detrás.

—¡Ay, lo siento, oficial! —suena una tímida voz.

El oficial anota algo en una libreta y se vuelve para seguir hablando con el investigador Clarence P.

—Tiene usted un campo lleno ¿de qué? —pregunta Clarence P.

—De cosas sospechosas, señor Clapp. Un campo lleno de chanchullos y asuntos peculiares.

—¡Cuánta desgracia! —comenta de pronto Doug.

—¡*Horrorizante*! —dice Alf.

—¡*Espantosísimo*! —exclama a su vez Fred.

—Bien dicho —dice Ted.

De nuevo suena un claxon. Por segunda ocasión el oficial da un paso atrás y fija la mirada en la oscura tarde.

—¿Le gustaría que mis muchachos fueran a ponerle un alto a ese escándalo de cláxones? —pregunta Clarence P.

—Claro que sí —dice el policía. Se hace a un lado y los muchachos salen dando tumbos de la camioneta y se dirigen a los autos que están detrás. El policía sonríe—. Usted es uno de los míos, señor Clapp.

—Nosotros, los enemigos de las cosas sospechosas, debemos mantenernos unidos —declara Clarence P.

—En efecto —asiente el policía y señala el baldío donde se encuentra la feria—. Si se dirige usted con su camioneta hacia aquel camino, encontrará más cosas sospechosas de las que es capaz de imaginar.

Los muchachos vuelven pronto. Orondos, se suben de vuelta a la camioneta.

—Encontramos al claxonero, *osifial* —señala Alf.

—Y ya se terminó el claxoneo —acota Doug.

—Gracias, muchachos —dice el oficial—. Ahora, vayan y vean a qué otras cosas apestosas y sospechosas pueden poner fin.

Se retira de la camioneta y hace un saludo militar mientras Clarence P. Clapp se aleja hacia el camino que lleva a la feria.

—Ése es un hombre que da batalla —dice Clarence—. Ahora, muchachos, los ojos bien abiertos para ver entre la oscuridad.

Treinta y nueve

¿Qué te parece? ¿Crees que Stan se ha vuelto loco? ¿Ha ido demasiado lejos? ¿Debería dejarlo todo: el tanque, la capa, el traje de baño, el pez número trece, el Pesca-un-pato? ¿Debería volver a tener una vida normal? Pero ¿qué es una vida normal para Stanley Potts? Y tú, ¿qué harías si alguien saliera de la nada y te dijera que eres muy especial? ¿Si te dijeran que tienes un talento único, una habilidad muy rara, y que si te atreves a usarla puedes volverte famoso, grandioso y pasar de ser tú, a ser un tú muy especial?

Ésa es la pregunta, ¿verdad? ¿Qué tal que apareciera en tu vida algo como el tanque de las pirañas? ¿Qué tal si alguien como Pancho Pirelli te invitara a saltar dentro?

¿Serías valiente y decidido?

¿Te enfrentarías a tus temores?

¿Saltarías dentro?

No puedes saber la respuesta, ¿o sí? En realidad no. No puedes saber lo que harías hasta el momento en que estés parado frente al tanque y las pirañas te estén observando, mostrando los dientes.

Aunque es lindo imaginárselo, ¿verdad?

Así que Stan pasa toda la tarde entrenando con Pancho. Practica cómo contener la respiración, sus pasos de baile, enfrenta una y otra vez a sus pirañas internas. Imagina su exótica infancia en el Amazonas y en el Orinoco, el calor y la lluvia y el sol calcinante, árboles tan grandes como catedrales y aves tan brillantes como el fuego; fantasea con las instrucciones que le susurran al oído los sabios de las tribus de la selva.

También pasa un poco de tiempo con Dostoievski y Nitasha, quienes le dicen que es el día más grande de su vida, que estarán ahí para verlo, aplaudirlo y rezar por él.

—Estoy aterrorizado —admite Dostoievski—, pero estoy muy orgulloso de ti, hijo. ¿Quién hubiera dicho, aquella mañana en que te apareciste en el Pesca-un-pato, hasta dónde llegarías?

Nitasha sonríe.

—Tú me haces pensar que todo es posible, Stan —dice tímida, y levanta los ojos hacia la brillante luna, y Stan sabe que está pensando en su delgada madre, tan lejos, en Siberia.

Stan mete la mano en la pecera. Siente la cola y las aletas del pez número trece, el pez que salvó, el que de alguna manera le mostró los talentos especiales que llevaba en su interior. Después vuelve a hacer el recorrido por la cada vez más oscura feria hacia Pirelli y el tanque de las pirañas. La gente murmura a su paso. "Ése es Stanley Potts. ¡Sí! El mismísimo Stanley Potts." Stan saluda con la mano a los que aclaman su nombre, se sonroja ante sus halagos, sonríe ante su apoyo. Su capa aletea a sus espaldas mientras camina.

No ve a los cinco hombres que lo miran desde un costado del puesto de carne de jabalí.

—¡Ajá! —dice Clarence P. Clapp—. ¡Ajajajajá!

Es él, desde luego. Es él con sus secuaces. A estas alturas Clarence y los muchachos han visto suficiente cosas sospechosas como para que les duren cien años. Lamentables cosas sospechosas. Horrorosas cosas sospechosas. Están seguros de haber llegado a la tierra de las lamentables y horrorosas cosas sospechosas.

—¡Ajajajajá! —murmura Clarence P.

—¿Qué pasa, jefe? —pregunta Doug.

—¡Debí haberlo sabido! —dice Clarence P.—. ¡Debí haberlo pensado!

—¿Pensado qué? —pregunta Ted.

—Pensado en lo que se esconde detrás de todo esto. ¡Pensado en que debíamos estar justo en el corazón de todo!

—¿Cuál es el corazón de todo? —pregunta Ted.

—¡Aquello! —responde—. Ahora actúen con naturalidad. Y miren rápido hacia donde yo estoy mirando y en donde reconozco el rostro de la maldad.

Los muchachos se dan la vuelta y miran a Stan, cuya capa azul aletea a sus espaldas mientras camina.

—Ya han visto a ése antes, muchachos —dice Clarence P.—. Puede que ustedes lo *haigan* olvidado, pero Don Clarence P. Clapp no. Clarence P. lo recuerda todo, siempre, en todo lugar. A Clarence P. no lo engañan fácilmente. ¿Recuerdan la calle Embarcadero, muchachos?

—Sí, jefe —murmuran los muchachos, aunque Ted y Fred se miran y se rascan la cabeza.

—Ahí había un niño (y digo niño aunque debería decir un *mostro*), un niño que se escapó justo antes del desalojo. Y cuando lo vimos supimos que estábamos viendo el rostro mismo del mal.

—Lo recuerdo, jefe —dice Ted—. Fue horrible, jefe. Como una pesadilla, jefe.

—Bien dicho, Ted —dice Fred.

—Y ahora la pesadilla ha vuelto —les dice Clarence P. Clapp—. Esta vez la pesadilla está vestida con una capa azul cielo.

—¡Uuuuurrrrrgggggg! —exclama Alf.

—¿Le puedo partir la cara, jefe? —pregunta Doug.

—No, Doug —dice Clarence P. Clapp—. ¿Ven cómo lo quieren en este lugar? ¿Oyen cómo toda esta gente sospechosa piensa que él es lo más maravilloso del mundo?

—Sí, jefe —responde Doug.

—Pues por eso debemos aguantar un poco. Debemos esperar nuestro momento. Cuando lo atrapemos lo atraparemos bien atrapado. Le arrancaremos el corazón de la oscuridad a este lugar y terminaremos con todo… para siempre.

Stan llega al tanque de las pirañas.

—Esta noche —dice Clarence P. Clapp— es cuando todas las sospechosas y apestosas cosas llegarán a un final absoluto.

Cuarenta

Todos miran a Stan desaparecer dentro del remolque de Pirelli.

—¿Les gustaría comer algo? —les pregunta el hombre-jabalí desde el mostrador de La Cocina del Jabalí Salvaje.

—¿Comer qué? —pregunta Clarence P.

—¡Chuletas! —gruñe el hombre-jabalí—. Un par de salchichas, o tres. O una hamburguesa, quizá.

—¿De qué son? —pregunta Clarence P.

—Del mejor jabalí, por supuesto —gruñe el hombre-jabalí, y se acerca a ellos—. Ustedes tienen pinta de ser unos tipos rectos. Parecen unos tipos a los que les vendría bien comer un poco de jabalí.

—Ciertamente somos hombres de un *calipre* diferente al de todos los demás que hayamos visto en este lugar —dice Clarence P.

—Pues vengan a comer. Hay suficiente para todos.

Clarence y los muchachos se paran junto al mostrador de La Cocina del Jabalí Salvaje y devoran la deliciosa carne de jabalí.

—¿Está rica? —pregunta el hombre-jabalí.

—Está deliciosa —murmura Alf.

—¿Les está saliendo pelaje?

—¿Pelaje? —pregunta Doug.

—¡Sí! Pelaje como de jabalí. ¡Como en el cuento!

—¿Cuál cuento? —pregunta Fred.

—El cuento del hombre que se comió al jabalí. ¿Se los cuento?

—¡No, señor! —dice Clarence P. Clapp—. No nos interesan los cuentos tontos. Nos interesan la verdad y los hechos.

—Entonces, ¿quieren que les cuente la verdad acerca del hombre que se comió al jabalí?

—No.

—Se convirtió en jabalí —gruñe el hombre-jabalí.

—Eso, señor —dice Clarence P. Clapp—, suena a puro cuento.

—Quizá lo es. Quizá la verdad y el cuento sobre el hombre y el jabalí son la misma cosa. Quizá la verdad y el cuento sobre cualquier cosa son lo mismo.

—¿Le damos, jefe? —preguntan Fred y Ted.

—¡Sí! —responde el hombre-jabalí abriendo la quijada y mostrando los dientes—. ¡Sí! ¡Háganlo ahora! Pero antes díganme, ¿han oído el cuento del hombre que no contaba cuentos?

—¡No, señor!

—¡Llegó un cuento y se lo comió!

Y el hombre-jabalí salta sobre el mostrador, abre las quijadas y ruge. Luego se aproxima a Clarence y los muchachos, que salen huyendo.

Cuarenta y uno

Volvamos al semáforo que está al final de la calle en la entrada a la ciudad. La luz está en rojo. El tránsito está detenido. El policía sigue ahí, desde luego, vigilando que no ocurran maldades ni cosas sospechosas.

Un tractor que remolca pacas de heno se acerca. El conductor del tractor se da la vuelta y dice:

—¡Eh, ustedes dos! ¡Aquí acaba la carretera!

El policía escucha y observa.

Dos personas bajan del remolque. Son dos personas tambaleantes que parecen hechas de palo, como dos espantapájaros.

—¡Gracias, señor! —le dicen al conductor—. ¡Gracias, buen hombre!

—No hay de qué. Un gusto poder ayudarlos —responde él.

La luz del semáforo cambia a verde y el tránsito avanza.

El policía sonríe.

"¿Qué tenemos aquí?", piensa mientras se acerca con las manos en la espalda al par de espantapájaros. Su horrible sonrisa se endulza.

—Buenas tardes —dice con gran amabilidad.

—Buenas tardes, señor —responden Annie y Ernie, porque está claro que se trata de ellos.

—Bienvenidos a nuestra humilde ciudad —dice el oficial—. ¿Qué los trae por aquí?

—Ah, señor —dice Ernie—, estamos buscando a un muchacho perdido.

—¿A un pequeñín perdido? —pregunta el policía.

—Sí, señor —dice Annie—. Es un buen chico, señor. Es como así de alto y tiene la cara flaca y en sus ojos brilla la bondad. ¿Supongo que no lo habrá…?

—¿Bondad? —dice el policía—. En el curso de mi trabajo he visto a muchos chicos, pero no a muchos les brilla bondad en los ojos.

—Entonces le será más fácil reconocerlo, señor —dice Ernie.

El policía piensa un momento. Se acaricia la mejilla, se rasca la cabeza.

—Pues no —murmura—. Recuerdo haber visto un alto nivel de maldad, pero… ¿Cómo es que lo perdieron, si me permiten preguntar?

Ernie clava la mirada en el pavimento.

—Ay, señor —dice—. La culpa es sólo mía. No lo traté como es debido y escapó.

—¿Escapó? ¿Y aun así dicen ustedes que es un buen muchacho? ¿Acaso puede un fugitivo ser un buen muchacho?

—¡Oh sí, señor! —exclama Annie.

—Y más aún: ¿pueden aquellos que no tratan bien a los niños ser buenas personas?

—No, señor —susurra Ernie—, pero he reconocido mis errores y he cambiado.

—¡Demasiado tarde! —ataja el policía—. ¡Su maldad ya ha azotado al mundo! Tenemos entre las manos a un maleante fugitivo. Ahora ustedes lo buscan y creen que el mundo los va a tratar con amabilidad. ¡PUES NO! ¡En este instante me los llevaré y los encerraré en la celda más oscura!

—¡No, señor, por favor! —suplica Annie.

—¿Qué esperaban? —pregunta el policía—. ¿Pensaron que los escoltaría hasta el hotel de cinco estrellas más cercano? ¿Pensaron que les ofrecería baños en tina y chocolate caliente y camas con dosel?

—No, señor —dice Annie—. No queremos ningún lujo.

—¿Lujo? ¡Ya verán ustedes lo que es el lujo! —El policía señala al otro lado del camino—. Apártense de mi vista en este instante —gruñe—, ¡antes de que los espose! Sigan por ese carril. Se sentirán como en casa con el resto de los mugrosos. Ahí encontrarán agujeros y zanjas en los que se pueden quedar. Si siguen un poco más adelante, incluso encontrarán un río en el cual se pueden lavar. —Sus ojos destellan en la oscuridad—. Si les vuelvo a ver un pelo…

Annie y Ernie se escabullen por el otro lado del camino. Esquivan el tránsito y caminan por la calle cubierta de baches. El policía se burla mientras los ve alejarse. ¡Cómo le gusta su trabajo!

—Qué hombre más desagradable —comenta Ernie.

—Quizá sólo está teniendo un mal día —dice Annie.

Se prende del brazo de Ernie. Juntos atraviesan la oscuridad del camino.

—Tienes razón, querida. Quizá solamente ha tenido un día muy difícil.

Cuarenta y dos

Una a una y millón a millón, comienzan a brillar las estrellas. Se enciende la pálida luna. Por toda la feria las luces comienzan a titilar, destellar y resplandecer. La gente grita y ríe bajo el aire fresco, la música retumba, ulula y chilla. Muchos se abren camino en medio de un emocionado silencio hacia un sitio que parece más tranquilo que cualquier otro, un lugar donde sólo hay un sencillo remolque con una lona en el frente que lleva impresas las llanas palabras:

¡STANLEY POTTS!

Un reflector brilla sobre esta escena. Otra luz dibuja un círculo sobre la lona azul, un círculo de luz que espera a que aparezca el protagonista. La multitud se agrupa y crece. La gente come palomitas y papas fritas y algodón de azúcar. Comen caramelos con forma de bastón y otros que simulan ser platos de desayuno inglés. Mordisquean chuletas y hamburguesas de jabalí. Beben cerveza y limonada y soda oscura en botella.

—¿Dónde está? —es el rumor que se escucha—. ¿Dónde está Stanley? ¿Ya lo vieron?

Nadie lo ha visto, pues Stan se encuentra en el remolque de Pancho Pirelli, mirando fotografías de Pancho cuando era niño. Observa cuánto cambió hasta convertirse en el hombre que es hoy. Está mirando atrás en el tiempo hasta donde está Pedro Perdito. Éste es su linaje: una línea temporal que llega hasta él, hasta Stanley Potts. Stanley tiembla un poco y se estremece.

—¿Estás nervioso, Stan? —pregunta Pancho.

—Sí —admite el chico.

—¿Tienes miedo de que te coman? ¿Tienes miedo de que éste sea el día de la desgracia?

Stan lo piensa y niega con la cabeza.

—No —responde y, de pronto, vuelve a estremecerse—. Tengo miedo de algo, pero no sé de qué.

De pronto lo sabe:

—Tengo miedo de presentarme ante todas esas personas, señor Pirelli.

Y de pronto se da cuenta de algo más:

—Y tengo miedo de cambiar. Tengo miedo de ser un Stanley Potts diferente.

Pancho sonríe.

—Entiendo esa sensación. En lo que se refiere a presentarte ante toda esa gente, es normal estar nervioso, y un poco de nerviosismo te ayudará con el espectáculo. En cuanto a cambiar, te diré que lo que pasará es que no serás un Stanley Potts completamente diferente. Serás el nuevo y el viejo Stanley Potts al mismo tiempo. Serás el Stan del Pesca-un-pato y el Stan de los días de la calle Embarcadero, y el nuevo Stan que nada con las pirañas. Si logras ser todo eso al mismo tiempo, ahí radicará tu verdadera grandeza.

Stan escucha al gran Pancho Pirelli. Permite que los recuerdos se agolpen en su mente. Tiene imágenes borrosas de su primera infancia con su mamá y su papá. Se ve a sí mismo caminando de la mano de tío Ernie y de tía Annie cerca de los astilleros y del refulgente río. Recuerda la fábrica enlatadora de pescado y los tormentos que sufrió ahí. Recuerda a los peces dorados, al tierno pez número trece y a Dostoievski y a Nitasha y al Pesca-un-pato. Los atrae a todos hacia su mente y todos revolotean ahí dentro. Y lleva a su mente el tanque de las pirañas, aquellos peces y sus dientes y sus elegantes danzas. Y se da cuenta de que sus recuerdos y su mente son cosas extraordinarias. Y mira a Pancho Pirelli y le dice con voz tranquila:

—Estoy listo, señor Pirelli. Vayamos al tanque.

Cuarenta y tres

De pronto ahí está Stan, caminando hacia la luz que ilumina su nombre. Lleva puestos la capa, el traje de baño y los gogles. Su mirada revela una calma decidida.

Se escuchan exclamaciones de emoción y gusto. Los niños ríen de gozo.

—¡Es él! —se escucha—. Es Stanley Potts.

—¿Es él? —pregunta alguien—. ¿Ese pequeñín flacucho?

—¡No puede ser él!

—¡Sí es!

—Es demasiado pequeño.

—Sí es.

—Es demasiado enclenque.

—¡Sí es!

—Es demasiado joven.

—Ése no puede ser *El* Stanley Potts.

Pancho Pirelli camina junto a Stan bajo la luz. Levanta la mano y las voces callan.

—Éste —dice Pancho Pirelli— es Stanley Potts.

—Pues sí es él —dicen las voces.

—Te lo dije —afirman.

Pancho vuelve a levantar la mano, regresa el silencio. Retira la lona y ahí están aquellos desalmados peces nadando en el agua iluminada, aquellos malvados demonios con dientes como navajas y quijadas como trampas.

—Y éstas —agrega Pancho— ¡son mis pirañas!

Se escuchan gritos, chillidos, risas y gemidos.

Pancho alza la mano de nuevo.

—Damas y caballeros —susurra—. Están ustedes a punto de ver algo maravilloso. Están a punto de ver algo que perdurará por siempre en sus sueños.

Más gritos, chillidos, risas y gemidos.

—Pero antes —dice Pancho— deben sacar el dinero y deben pagar por el espectáculo.

Stan se queda de pie bajo la luz del reflector mientras Pancho se acerca a la muchedumbre con la bolsa de terciopelo en la mano. Pancho susurra "gracias" mientras caen monedas dentro de la bolsa. Murmura palabras de aliento:

—Busque mejor, señor. Un poco más, señora. Eso está mejor, mucho mejor. Gracias, es usted muy amable.

Pancho también externa su decepción:

—¿En verdad eso es todo lo que piensa pagar? ¿Espera usted ver un gran espectáculo a cambio de esa bicoca?

Pirelli busca entre la multitud a los más renuentes:

—Ya lo vi. No puede escapar de los ojos de Pancho Pirelli. Necesitamos dinero. Paguen. Un par de veces, Pancho alza la voz, como enojado:

—¿Se dan cuenta de que un chico está a punto de jugarse la vida para que ustedes se entretengan?

Y a cada momento crecen los murmullos de emoción.

Desde el fondo de la multitud, entre las sombras de los dos remolques, cinco pares de ojos observan. Cinco pares de ojos que pertenecen a cinco fornidos cuerpos vestidos de negro.

—¿Qué va a pasar, jefe? —pregunta uno de los hombres.

—Algo del más oscuro y profundo *sospechosismo* —responde Clarence P., y señala a Stan—. Debí haber sabido lo que haría ese *mostro* bajo el *riflector*. Debimos detenerlo allá, en la calle Embarcadero.

—Los puedo ver, ¿saben? —dice Pancho Pirelli moviendo la mano sobre las cabezas de la gente en dirección a los cinco hombres—. No hace falta esconderse en la oscuridad. No sean tímidos, caballeros.

—¡No somos tímidos! —responde Clarence—. ¡Lo estamos viendo todo con los ojos bien abiertos! Somos *envestigadores* de sospechas apestosas. ¡Y aquí hay algo que huele mal!

—En efecto —afirma Pancho—. Aquí hay algo que huele *muy* mal.

—¡Lo sabía! —grita Clarence P. Clapp. ¡Es una *desvergon-cés!* ¡Le vamos a poner un alto!

—¿A qué le van a poner un alto? —pregunta Pancho.

—¡A lo que va a ocurrir! —dice Clarence.

—Y ¿qué es lo que va a ocurrir?

Clarence P. entrecierra los ojos.

—No trate de engatusar a Clarence P. Clapp, señor Bolsadedi-nero. Conozco todos sus trucos y no funcionarán conmigo.

Pancho sonríe. Se mueve hacia las sombras, más cerca de Clarence, y le pasa un brazo alrededor de los hombros.

—No se asuste, señor Clapp —dice—. ¿Puedo llamarlo Clarence?

—¡Desde luego que no puede! —dice Clarence P. Clapp—. ¡Suélteme, señor Bolsadedinero!

—¡Clarence P. Clapp nunca se asusta! —dice Fred.

—¿Ah, no? —dice Pancho—. Entonces quizá quiera entrar él mismo al tanque.

Los muchachos miran a Clarence P. Sus ojos brillan en la oscuridad.

—¡Le dije que me suelte! —grita—. Esto no es más que un montón de mentiras y maldades y engatusamientos.

—¿Ah, sí? —dice Pancho.

—Sí. Ese chico es un demonio y usted, señor, es un sospe-choso como el que más.

Pancho ríe.

—Y esos peces… —dice Clarence P. señalando el tanque.

—¿Esos peces qué? —pregunta Pancho.

—…no son lo que usted dice que son —termina Clarence P.

—¿No son pirañas? —pregunta Pancho.

—No lo son.

—Déjeme aclararle algo, Clarence —dice Pancho mientras señala el tanque—. Ese chico que está ahí es uno de los muchachos más valientes que jamás verá. Y esos peces que están ahí dentro son los más feroces que ha visto nunca. Y ese chico valiente está a punto de nadar con esos peces feroces.

Fred suelta un bufido.

—¿Ese guiñapo? —pregunta—. ¿Y esos pececitos?

—Sí —responde Pancho.

—¡Me podría cenar al guiñapo y comer a los pececitos de postre! —exclama Ted.

—¡Y tomarme el agua como sopa! —dice Doug.

—Quizá deberían intentarlo —dice Pancho—. Vengan conmigo al tanque. Metan un dedo.

—¡Ajá! —dice Clarence—. No le hagan caso, muchachos. El señor Bolsadedinero está tratando de tentarlos y conducirlos hacia aguas sospechosas. Son puros trucos y engaños. Lo que hace no tiene sentido. No deseamos formar parte de un espectáculo de esta naturaleza, señor, así que suélteme y lárguese.

Lo estaremos observando; a la primera señal de *sospechosismo* le caeremos encima como una tonelada de ladrillos.

Los muchachos ríen y comienzan a rodear a Pancho.

—¡Puros pececitos! —gruñen y, cuando están a punto de atraparlo, Pirelli logra escabullirse entre la multitud.

—Sean fuertes, muchachos —dice Clarence—. Estamos en uno de los lugares más oscuros del mundo, estamos en medio de la tierra de la *desvergoncés*. Miren, escuchen y aprendan.

Los muchachos miran con furia a Pancho, a Stan, a la multitud, a los peces que nadan dulcemente en el tanque iluminado.

—Un día, muchachos —declara Clarence P.—, toda esta maldad será eliminada del mundo. No habrá más lugares sospechosos ni más gente sospechosa alrededor ni sospechosos tanques con peces ni acciones sospechosas que acabar.

—Esos tiempos serán buenos, jefe —dice Alf.

—Así es —reafirma Clarence P.

—¿Entonces sólo habrá gente como nosotros? —pregunta Doug.

—Sí —responde Fred—. Sólo gente que sabe lo que es qué.

—Correcto —dice Ted—. Gente *desospechosa* que sabe lo que es qué en un mundo que no tiene *sospechosismo*.

—Bien dicho, Ted. Yo mismo no habría podido decirlo mejor —concluye Clarence P.

Cuarenta y cuatro

Para ser un muchacho que empezó casi sin familia y sin amigos, nuestro Stan lo lleva bastante bien ahí, de pie, mientras espera el momento de bailar dentro del tanque. Ahí está Pancho, desde luego, caminando de un lado a otro con la pesada bolsa de dinero en la mano. Ahí están Dostoievski y Nitasha observándolo nerviosos y orgullosos desde la primera fila. Ahí está el hombre-jabalí y la mujer de los colmillos falsos y Tickle Peter y el señor Smith y Seabrook. Ahí está la gente con la que se sentó Stan junto a las fogatas mientras se comía una papa, y todos los niños que ha conocido, y toda la gente que lo ha saludado y le ha sonreído y ha clamado su nombre. Y también está ahí gente a la que no conoce, que lo observa y le envía buenos deseos. Mientras tanto, miramos entre las sombras hacia el camino cubierto de baches. Aquí vienen, tropezando mano con mano, los que han querido a Stan desde el principio, los que deben llegar a tiempo para ver su espectáculo: Annie y Ernie. Caminan acercándose a las luces, a la música, a los gritos y a las risas que hacen eco en el viento.

—¡Es una feria, Ernie! —exclama Annie.

—Así es —dice Ernie.

—Me encantan las ferias —continúa Annie—. Hubo un tiempo en que a ti también te gustaban, ¿lo recuerdas?

—Lo recuerdo —dice Ernie con tristeza al pensar en la feria que vio el día en que Stan se marchó. Annie le aprieta la mano y le sigue diciendo:

—Era hermoso, ¿verdad?, cuando éramos jóvenes. Dando vueltas en el ratón loco, jugando en el Pesca-un-pato y ganando premios, conociendo nuestro futuro en voz de las gitanas…

—¡Conocerás a una hermosa mujer!, me dijo la gitana. Y así fue, ¡eras tú!

—Y a mí me dijo que conocería a un hombre alto y guapo. Y así fue, eras tú.

Ernie sonríe y suspira.

—Y mira lo que te he hecho, amor.

—No te preocupes, todo saldrá bien.

—¿De verdad?

—Sí —afirma una voz a sus espaldas—. Siempre y cuando sus corazones sean buenos y sinceros.

Se dan la vuelta y ven a la Rosa Gitana frente a ellos, con la luz de la luna brillando sobre su figura y las luces de la feria destellando a sus espaldas.

—No se preocupen —dice—. No soy peligrosa.

Annie se acerca un poco.

—Soy la Rosa Gitana.

—¡Es usted! —exclama Annie—, la Rosa Gitana que conocí en la feria cuando era sólo una niña. ¡No puede ser!

La Rosa Gitana sonríe.

—No, no puede ser —murmura—. ¿O sí?, debe ser un truco de la luz de luna. ¿Tiene algo de plata para poner sobre mi palma?

—No tenemos nada más que cobre —dice Ernie.

Él también la observa de cerca: su cara, su silueta, la ropa que usa, su voz.

—Sí es usted —murmura—, aunque no puede ser.

La Rosa Gitana vuelve a sonreír.

—Digamos que la luz de la luna es la plata —les dice. Luego extiende la mano y deja que la luz caiga sobre su palma—.

Muchas gracias, ahora abran sus manos y déjenme ver.

Mientras toma sus manos abiertas, les dice que la luz de la luna es la más pura y la mejor para leer el futuro. Annie y Ernie miran las complicadas arrugas, las líneas y montes que surcan sus manos.

—Oh, han pasado por tiempos muy difíciles. Tiempos problemáticos de dolor y pérdida. —Su cara se descompone y gime decepcionada—. ¡Ay, Ernest! —exclama.

—¿Yo? —pregunta Ernie.

—No siempre has sido el hombre que has debido ser.

—Pero es un hombre bueno —dice Annie.

—¿Lo es? ¿Acaso puede ser un hombre bueno quien ha hecho lo que él?

—¡Sí! ¡Sí puede! —responde Annie—. Y ya ha reconocido sus errores.

—¿Ah, sí?

—Sí. Sólo se volvió un poco… loco, durante un tiempo. ¿Verdad, Ernie?

La Rosa Gitana lo mira.

—¿Y bien? —inquiere ella.

—Es verdad —admite Ernie—. Me descarrié; me descarrié en busca de fama y fortuna.

—Hay de locuras a locuras. Hay locuras que hacen daño, y hay locuras que hacen bien —dice la gitana y continúa leyendo las palmas de las manos—. Están buscando algo, a alguien. ¿Estoy en lo correcto?

—Teníamos un chico —dice Annie—, un chico con los ojos claros como el agua y un corazón tan luminoso como la luna. ¿Lo encontraremos, Rosa Gitana?

—Recuérdenlo y miren la luna —dice la Rosa Gitana—. La luna brilla más fuerte cuando está llena de nuestra añoranza. Miren la luna y llamen al niño con sus corazones.

Annie y Ernie levantan la mirada, sienten su corazón lleno de añoranza y observan que la luna brilla más fuerte. Y a sólo unos metros de ahí, su muchacho, Stan, escapa de la luz del reflector que lo alumbraba por un instante. Él también observa a la luna y añora a su familia perdida. La luna brilla aún más intensamente y por un segundo todos se ven dentro del luminoso disco celeste y se llaman.

—¡Vengan a mí! —susurra Stan—. ¡Por favor, vengan a mí!

Annie y Ernie le preguntan a la Rosa Gitana:

—¿Dónde lo encontraremos?

Pero la Rosa Gitana se ha ido, ha desaparecido entre las sombras y la oscuridad, así que vuelven a tomarse de la mano y siguen avanzando a tropezones, caminando velozmente hacia la feria. Pasan junto a los remolques en las orillas del baldío, junto a los espectáculos, junto a la carpa que se parece al mundo y a la de las luchas, junto a La Cocina del Jabalí Salvaje y hacia la apretujada multitud que se agolpa en el corazón de la feria, hacia las exclamaciones, las risas y los emocionados murmullos.

Llegan al borde de la muchedumbre, tratan de asomarse, se paran de puntas para intentar ver.

—¿Qué está pasando? —pregunta Annie.

—Quién sabe —dice Ernie—. No veo nada, amor.

Entonces ambos logran ver a un muchacho con una capa frente a una pecera grande e iluminada. El chico está bajo la luz de un reflector.

—Es un niño —dice Annie.

—¡No puede ser! —exclama Ernie.

—¡No!

—¡Sí es!

—¡Sí es!

—¡Stan! —gritan—. ¡STAN!

Pero sus voces se pierden entre el clamor de las otras voces que se lleva el viento.

¡Stan! ¡Stan! ¡Stan! ¡Stan!

—¿Qué va a hacer? —grita Ernie.

Ambos se deslizan entre la gente, pero los cuerpos están demasiado apretujados y no los dejan pasar.

—Es nuestro muchacho —dicen una y otra vez—. Por favor, déjennos llegar hasta nuestro muchacho.

Pero avanzan poco. Hay demasiada gente.

—¡STAN! ¡Qué haces!

Cuarenta y cinco

—¡Éste es el momento de la verdad! —anuncia Pancho Pirelli.
La multitud guarda silencio.

—Ante ustedes —dice Pancho— está un muchacho que fue
criado en la ribera del río Orinoco.

—¿Ante nosotros está *quién?* —pregunta Ernie.

—¿El Orinoco? —dice Annie.

—¿Bailará este extraordinario chico con las pirañas? —dice
Pancho.

—¿Que hará *qué?* —dice Ernie.

—¿Acaso será comido ante sus ojos?

—¿QUÉ? —grita Annie.

—¿QUÉ? —grita Ernie.

—¡STAN! —gritan al mismo tiempo—. ¡STAN! ¡SOMOS NOSO-
TROS!

Pero la multitud se ha agitado de nuevo. Todos farfullan y
gritan, se empujan para acercarse más al tanque, Annie y Ernie no pueden pasar.

—¡Ése es nuestro muchacho! —gritan—. ¡Déjenos llegar
hasta nuestro niño!

A su alrededor la gente dice: "Es sólo un muchacho. Un muchachito flaco. ¿Cómo puede hacer algo así?"

—¡No puede! —dicen Annie y Ernie—. ¡Es sólo un muchacho encantador y normal!

Dentro de sí, Stan ya no es tan flaco ni tan enclenque. Es valiente, fuerte y tiene aplomo, está a punto de hacer algo maravilloso. Se quita la capa. Comienza a subir la escalera. Los peces nadan hacia arriba. Stan se detiene en la cima. Se pone los gogles. Levanta la mano para saludar. La multitud calla, a excepción de un par de voces.

—¡STAN! ¡STAN! ¿QUÉ ESTÁS HACIENDO?

Stan se detiene en seco y escucha. Se levanta los gogles y busca entre la gente. Y de pronto los ve moviendo los brazos desesperadamente, tratando de llegar hasta él. Gritan su nombre una y otra vez. Su corazón se llena de alegría.

—¡Tía Annie! —grita—. ¡Tío Ernie!

—¡NO LO HAGAS, HIJO! —grita Annie.

—¡BAJA DE AHÍ, STAN! —grita Ernie.

Stan ríe. Se pone los gogles de nuevo.

—¡No se preocupen! —grita—. ¡Lo estoy haciendo por ustedes!

—¡No queremos que lo hagas por nosotros! —grita Ernie.

Stan ríe.

—¡Miren! —les dice.

Stan abre
los brazos, da un
brinco y junta las manos,
su cuerpo se encorva hacia
el frente y luego hacia abajo, y
ejecuta un clavado perfecto dentro del
tanque de las pirañas.

Las pirañas le abren camino, como si le
dieran la bienvenida al cardumen. Nadan hacia
abajo junto a Stan mientras él completa el clavado. Nadan
con él hacia arriba mientras patalea para impulsarse desde el
fondo del tanque. Se comportan exactamente como si se tra-
tara de Pancho Pirelli o Pedro Perdito con ellas en el agua.
Stan da vueltas y ellas giran en grupos perfectamente ordena-
dos a su lado. Él se balancea y ellas también. Él baila y ellas lo
acompañan. Él nada hasta la superficie, toma aire y nada hacia abajo de nuevo. Mira a las pirañas a través de los gogles y
ellas lo miran a él.

"Oh, compañeros míos", susurra en la mente.

"Oh, nuestro compañero", escucha.

Hace cabriolas, piruetas y giros, y se siente como en casa
con las letales pirañas dentro del agua iluminada.

La multitud los observa maravillada, todos se acercan más y
más al tanque; volverán a recrear este instante por siempre en

sus sueños. Ernie y Annie están fascinados, sus temores se han convertido en emoción y alegría.

—¡Mira lo que puede hacer! —se dicen el uno al otro.

—Ése es Stan —le dicen a las personas a su alrededor—. ¡Ése es nuestro adorado muchacho!

—¡Su mamá y su papá estarían tan orgullosos! —suspira Annie.

Stan nada hacia arriba y toma más aire, vuelve hacia el fondo, piensa en el pez número trece y en sus compañeros. A su mente llega la imagen de una lata en la que se lee PECES DORADOS EN LATA *de Potts.* Ve cómo se abre la lata, con la tapa curvada hacia atrás. De ella sale una docena de peces dorados en un estallido de dorado refulgente, y todos nadan con él y con las pirañas. Y mientras nadan en perfecto orden todos juntos, las salvajes pirañas, los tímidos peces dorados y el escuálido chico, Stan mira a través del cristal del tanque y observa a sus amigos y a su familia, todos convertidos en uno mismo: Dostoievski y Nitasha, Pancho Pirelli, tía Annie y tío Ernie. Y por un instante puede ver, muy cerca del tanque, a su mamá y a su papá que sonríen y lo saludan:

—Estamos orgullosos de ti, Stan. Te amamos, Stan.

Y desaparecen.

Stan nada hacia la superficie, se agarra de la escalera y sale del tanque, hace una reverencia. La multitud ruge. Stan baja la escalera y corre a los brazos de Annie y Ernie Potts.

Cuarenta y seis

Gritemos un ¡hurra! por Stanley Potts. Es un niño que se ha transformado en una especie diferente de muchacho. Es un chico escuálido que creció en medio de todo tipo de problemas, de sospechas apestosas, pero que es lo suficientemente valiente y decidido como para ser el héroe de este relato. Su vida se ha ampliado ante sus ojos. Nadará con las pirañas noche tras noche y no se lo comerán. Después de todo, las pirañas no son tan peligrosas, o no lo son si hemos de creerle a Pancho Pirelli. Quizá después de un tiempo Stan dejará atrás las pirañas y encontrará otros retos que enfrentar. Tal vez visite el Amazonas y el Orinoco o quizá vaya a Siberia y a Ashby-de-la-Zouch. Sin duda seguirá buscando formas de crecer y de convertirse en otro Stanley Potts. Y su familia, que se ha convertido en un tipo diferente de familia, crecerá y cambiará junto a él. Ahí están todos, celebrando juntos y felices con la clamorosa multitud a su alrededor. Pancho corre la lona y cubre el tanque. Ahora todos se dirigen al Pesca-un-pato, donde encenderán una fogata, mordisquearán papas calientes y beberán soda oscura. Dejémoslos ir, dejémoslos solos con su celebración y sus recuerdos, y sus planes de futuros espléndidos.

La gente se dispersa. Las luces comienzan a apagarse. La luna cae hacia el horizonte y las infinitas estrellas fulguran y destellan en la infinita oscuridad. Cada corazón late más rápido, todos los ojos brillan, cada mente contiene la semilla de sueños extraños y maravillosos. Hasta Tickle Peter, después de tantos años de pesadumbre, sonríe.

Ah, y ahí vienen, salen de las sombras y se colocan detrás de los seres felices: Clarence P. Clapp y los muchachos de la SOSA, Doug, Alf, Ted y Fred. Mira, se escabullen hacia el tanque. ¿Será posible que Clarence P. esté a punto de probar que esos peces no son pirañas después de todo? Están más cerca, ya están descorriendo la lona, se ríen de los pececitos, se mofan y burlan como sólo lo hacen los muchachos de la SOSA. Ah, y mira: Clarence P. está sobre la escalera, sube, seguramente no va a lanzarse al...

¿Qué crees tú que deba ocurrir? ¿Deberá Clarence P. lanzarse al tanque? Quizá no importa si lo hace, quizá las pirañas resulten ser poco más que unos pececitos. Pero quizá Clarence P. Clapp merece que se lo coman. Después de todo, Clarence, Doug, Alf, Ted y Fred no son ningunos ángeles, ¿verdad? Han hecho cosas horribles en este relato, mira lo que le hicieron a Annie y a Ernie. Imagínate lo que le hicieron al pobre conductor que tocaba el claxon. Imagínate la lata que van a dar en el futuro. Y Clarence P., que ya está casi en la cima de la escalera, es el jefe. Algunos dirán, por supuesto, que las personas como Clarence P. y los muchachos de la SOSA sólo están confundidos, que tuvieron infancias difíciles, que les faltan algunas células importantes del cerebro, que tal vez sólo necesiten un poco de terapia o que les pongan música o que alguien les dé un fuerte apapacho, no consigo decidirme. De cualquier forma, Clarence observa a las pirañas, mira a los muchachos.

—Salte, jefe —le dice Doug.

—Sólo son pececitos —señala Alf.

—Salte —anima Fred.

—Bien dicho, Fred —dice Ted.

Clarence P. está en el borde.

Tú decides. Si fueras tú quien escribiera este relato, ¿qué pasaría? ¿Se lanzará? Y si se lanza, ¿qué pasará después? Quizá te ayude pensar en lo que a Stanley Potts, el héroe de este relato, le gustaría que Clarence hiciera. O quizá no importa en realidad. Sea lo que sea que decidas, esto sólo es un relato, Clarence P. sólo existe en las páginas de este libro y en ese lugar misterioso que es tu imaginación.

En fin, decídelo ahora, si quieres. Después hay otro pequeño capítulo que nos llevará hasta el final.

Cuarenta y siete

Por supuesto, nunca hay un final adecuado. Las personas que vivieron en este relato seguirán viviendo en muchos otros, pero en algún lugar tenemos que hacer un alto y éste es el lugar. Elevémonos y volemos. Dejemos atrás el baldío de la feria y a todos los que están ahí. Vamos más alto, más alto. El baldío con sus luces y su ruido se empequeñece. Veamos el pueblo que se expande más allá y los cables de luz que conectan esta ciudad con otros brillantes pueblos y ciudades; veamos la

oscuridad del bosque, los caminos ondulantes y resplande-
cientes que dibujan los ríos, el oscuro y profundo mar. Vamos
más alto y veamos las galaxias de ciudades desperdigadas por
el mundo, las grandes extensiones de campo abierto, los océa-
nos y las cimas nevadas de las montañas. Y ya estamos tan alto
que podemos ver el mundo entero. Mira esa grandiosa esfera
de luz y oscuridad. Mira cómo gira y cómo da lugar al día y la
noche. Mira cómo los mares destellan azules bajo el sol y fulguran oscuros bajo la luna. Imagina la gente y los relatos que
se pueden encontrar en esa esfera. Imagina la vida y la muerte
y los amores y los sueños y los problemas y los héroes y los vi-
llanos que existen allá abajo. Imagina historia tras historia tras
historia de las que podemos encontrar y contar. Vamos más

alto para que incluso nuestro mundo empequeñezca y se vuelva sólo uno de entre muchos otros mundos que giran en la interminable oscuridad. ¿Cuántos relatos habrá ahora en esta infinitud?

Pero volvamos para echar un último vistazo… Vamos para abajo. La tierra y su geografía vuelven a estar a la vista. ¿Adónde iremos? Mira. Es de mañana en Siberia, el sol brilla sobre la nieve, hay hielo en los ríos y el humo se eleva de las chimeneas, y las casas y los pueblos se esparcen sobre la estepa. Hay una gran ciudad cerca de un río, la ciudad de Novosibirsk, acércate, el aire está despejado y fresco y tremendamente frío. Ahí está el río Ob, mira los rascacielos. Ahora mira la enorme estación de trenes pintada de azul claro, tiene un gran arco en la entrada. Vamos adentro, ¡cuánta gente hay aquí!, gente que camina para un lado y para el otro. Hay trenes esperando en las plataformas. Un grupo de esbeltas mujeres se acerca a uno de los trenes, todas llevan gruesos abrigos y sombreros de piel, su aliento se condensa en el aire helado, ríen. ¿Ves esa cara, esa silueta? Parece conocida, la hemos visto en una fotografía, me parece. Sí, es hermosa. ¿Es la madre de Nitasha? ¿Es la señora Dostoievski? Se ríe y conversa. Está hablando de su hogar, de volver a su hogar. Sube al tren de un salto y las otras personas la despiden en el andén y pronto el tren se aleja de la estación.

Quizá vaya a casa. Quizá hay un poco más de felicidad de camino hacia Stanley Potts y sus amigos en la lejana feria. Esperemos que sí, lo merecen. Después de todo, los corazones de estas personas, a pesar de todos sus problemas y sus defectos y sus fallas, son buenos y sinceros.

FIN

Índice

¡Felicidades! Pescaste, entre muchos,
El niño que nadaba con pirañas, de David Almond,
que se terminó de imprimir y encuadernar en octubre de 2015
en Impresora y Encuadernadora Progreso, S. A. de C. V. (IEPSA),
calzada San Lorenzo, 244; 09830 México, D. F.

El tiraje fue de 6 600 ejemplares.

¡Devóralo sin piedad!